CW00646728

LA GUERRE ET LA VIOLENCE DANS LA BIBLE

ANTON VAN DER LINGEN

LA GUERRE ET LA VIOLENCE DANS LA BIBLE

Lire la Bible

LES ÉDITIONS DU CERF

Les citations des textes bibliques sont prises de la TOB (Traduction Œcuménique de La Bible, Paris, 1977).

© *Les Éditions du Cerf*, 2016
www.editionsducerf.fr
24, rue des Tanneries
75013 Paris

ISBN 978-2-204-10510-1
ISSN 0588-2257

*Pour Job * 01-11-2012*
*Joséphine * 30-07-2015*
Que leur génération apprenne la paix.

Avant-propos

Nous vivons dans un temps de crises : crise économique, crise sociale qui oppose riches et pauvres, crise éthique qui interroge sur le bon et le mauvais choix, crise religieuse enfin entre d'une part opposition dogmatique de groupes dans les églises et dans les grandes croyances et d'autre part opposition entre les deux plus grandes religions du monde, le christianisme et l'islam. Nous vivons à une époque où de nombreux aspects de la vie humaine sont soumis au doute. Une époque où les guerres sont menées entre éléments politiques et sociaux, culturels et religieux au sein des pays, dans lesquels la foi joue malheureusement un rôle important. Une époque où les pouvoirs et les lois économiques semblent avoir le dernier mot, où les dirigeants se montrent en permanence mensongers. Une époque où les différences entre riches et pauvres augmentent de façon incroyable, et enfin où les gens sentent qu'ils perdent le contrôle de leurs propres vies sans personne pour leur venir en aide. Ceci en omettant de mentionner les problèmes émotionnels d'une société centrée sur l'individu et l'atomisation des idées concernant le questionnement sur l'existence humaine. Et les Églises semblent incapables de formuler un début de réponse et laissent les croyants seuls sur leur route vers un avenir opaque.

Un des résultats de cette situation est une réponse, assez fréquente, par la force et la violence (la CIA se sert de tous les moyens physiques et psychologiques pour maltraiter / faire parler ceux qu'on soupçonne de terrorisme), mais aussi dans les systèmes juridiques (réponse œil pour œil et peines de plus en plus lourdes). Partout dans le monde sont présentes petits et grands conflits, souvent des guerres civiles entre groupes, factions et nations. En voici quelques exemples au début de l'année 2016 : au Moyen-Orient, en Syrie, Libye, Égypte, entre La Palestine et Israël, et Irak ; en Afrique : Mali, RCA, Somalie, Nigeria, Soudan ; et encore dans d'autres contrées : en Ukraine/ Crimée. Mexique, Colombie, etc.

Violence et guerres sont partout ! Dont une forte proportion a des connotations religieuses. Au nom d'un dieu, que l'un semble connaître et servir mieux que d'autres, on commet des crimes contre l'humanité, crimes que nous espérions avoir laissés derrière nous. Que peut-on faire, temps que personne ne semble soucieux de l'avenir de l'humanité ? D'abord chercher à connaître les sources de ces problèmes sociaux et religieux pour comprendre ce qui se passe dans le monde. Et essayer de comprendre l'arrière-fond religieux en lisant et étudiant un des livres les plus anciens et les plus lus : la Bible. Elle est par excellence cet ensemble de textes de la rencontre avec Dieu. Pouvons-nous y découvrir la façon dont elle parle de la violence et des guerres ? Et qu'en a-t-on dit concernant la violence et les guerres au nom de Dieu, dont il semble même qu'Il y soit parfois impliqué ?

Nous ne sommes heureusement pas les premiers à nous poser ces questions et partir à la recherche des idées bibliques en liens avec les côtés noirs de l'humanité. Mais aujourd'hui l'urgence est grande, car au milieu des guerres et des attentats terroristes, qu'on motive de support religieux, il nous faut une réponse sérieuse et inspirée afin de pouvoir ouvrir une discussion intense sur les fondements religieux du comportement humain. L'intérêt des chrétiens pour la violence contenue dans la Bible et étudiée par la théologie est de relativement récent. Ce n'est qu'après la Seconde Guerre mondiale que les exégètes commencèrent à explorer la notion de violence dans la foi chrétienne. Quelques-uns soupçonnaient que Dieu, dès le début, dès l'époque de Moïse, était un Dieu guerrier. En fait, on essayait de déculpabiliser les humains en rendant l'origine de la violence à Dieu. Une étude consciencieuse des textes bibliques a prouvé l'erreur de cette idée. Mais comment alors appréhender l'image de Dieu qui s'implique dans les guerres ? Dans ce livre, nous tenterons de lire au plus proche les textes bibliques et ferons l'effort de nous ouvrir vraiment à son sens. Nous nous servons de la méthode de lecture biblique contemporaine, en nous mettant à la place des personnes visées par les auteurs des textes bibliques.

Dans l'introduction, nous aborderons nos points de départ et notre méthode de lecture. Puis, dans la première partie, nous étudierons le vocabulaire crucial pour la compréhension des idées bibliques concernant la paix, la violence, la notion d'ennemi et de guerre. La deuxième partie nous traitera de plusieurs récits guerriers et de la façon de les lire et raconter. Et nous terminerons par l'évocation des caractéristiques d'une théologie orientée vers la liberté et la paix.

Introduction

À la recherche d'une méthode simple pour lire la Bible

Dans cette première partie suit une succession de questions qui se présente quand on ose se libérer des idées dogmatiques de la chrétienté. Est-il, en premier lieu, permis de se libérer, de regarder, de lire et comprendre les textes d'une autre façon ?

Dans ce temps de crise, ressentie dans les églises, nous vivons aussi avec l'incertitude concernant les vérités de la foi moderne, des normes éthiques de la Bible, et des noyaux de la tradition croyante du christianisme. Dans ce livre, nous cheminerons en découvertes et reconnaissances au long de thèmes bibliques douloureux (violence, guerre, etc.), qui troublent la foi de ceux qui s'interrogent sur les questions fondamentales de notre temps et recherchent un mode de croyance moderne résistant à la tentation à se cacher derrière un mur de silence. Nous espérons montrer que même ces thèmes, ces textes et pensées compliqués et difficiles à digérer peuvent nous donner une vision plus large et actualisée du message divin que nous rencontrons dans la Bible.

Comment lire la Bible ?

De prime abord, il peut arriver que le lecteur ne comprenne pas directement ce qu'il lit ; et qu'il ait besoin de connaissances supplémentaires ou d'une méthode particulière pour comprendre ce qu'il lit. Dans ce qui suit, nous évoquons les différentes méthodes pour expliquer la Bible tout en considérant le sens commun, la connaissance (scientifique ou non) et l'expérience humaine. Avant que le lecteur et l'auteur ne se mettent en route, une question préalable s'impose. Pourquoi lisons-nous la Bible, hommes et femmes, croyants ou non-croyants ? Différentes réponses sont possibles : il y a ceux qui considèrent la Bible comme un livre littéraire, culturel ou historiquement intéressant et veulent prendre connaissance de son contenu. Elle a probablement été écrite entre le dernier millénaire avant et le Ier siècle de notre ère, appartient de ce seul fait aux écrits les plus anciens et les plus importants de l'histoire de l'humanité. Mais cet intérêt culturel est-il le même pour tout le monde ? Bien sûr que non, car des milliards de personnes ont fait de la Bible le livre de leur croyance, dans laquelle ils lisent la révélation de leur Dieu, avec qui elles ont une relation plus ou moins intense dans leur vie. En le lisant, elles veulent approfondir leur relation avec ce Dieu.

Quelle en est leur motivation profonde ? En fait, se plonger dans la Bible pour des raisons de foi, est motivé par ce propos croyant : « Je crois que dans la Bible Dieu se présente aux hommes ». Il s'agit ici d'une déclaration de foi, dans laquelle les personnes, souvent avec une autorité religieuse, au cours des trois derniers millénaires, ont exprimé qu'ils reconnaîtront leur Dieu dans les textes de ce livre. Ceci indique que la Bible est plus qu'un livre avec des faits historiques intéressants, avec des genres littéraires intrigants, avec un écho des modes de penser appartenant au passé, avec des données linguistiques intéressantes ou avec une diversité culturelle sans précédent. La Bible est tout ceci réuni et, en même temps – et peut-être surtout –, un livre de la foi en Dieu. Pour cette raison, nous définirons comment la Bible peut être comprise correctement et respectueusement.

C'est pourquoi il est important d'établir les méthodes de travail dont nous disposons. En outre, chaque lecteur a, consciemment ou inconsciemment, ses propres idées sur la meilleure façon de lire et d'expliquer la Bible. Quand il s'agit des thèmes de la violence et la guerre, il ne faut pas négliger l'aspect émotionnel chez le lecteur. Chaque être humain a ses hypothèses, qui influencent la lecture et la compréhension des textes. Dans cette introduction nous esquissons différentes images de ce qui est possible et permis en lisant la Bible. Il s'agit ici d'une vision simple, mais certainement pas originale, sur laquelle l'étude des thèmes de ce livre est fondée.

Appréciation de la Bible

Dans les débats des églises et des croyants, menés autour de thèmes de la foi et de l'explication de la Bible, tôt ou tard se présente la question-clé de la vision d'une Église ou celle d'interprètes individuels sur la Bible comme Écriture sainte. Plus vivement formulé : « Êtes-vous quelqu'un qui croit que la Bible est tout entière, de la première à la dernière ligne, la parole divine, dictée d'une certaine manière par Dieu aux auteurs (comme les musulmans croient qu'Allah a dicté le Coran à Mahomet). Ou bien êtes-vous une personne qui traite la Bible de manière plus libérale ? » L'idée sous-jacente est souvent : la Bible est-elle le produit des pensées humaines ou bien son texte est-il directement inspiré par Dieu et ses auteurs humains ne sont que des outils divins. Dans le premier cas, on est vite accusé d'affecter l'autorité de Dieu et de mettre en doute son pouvoir d'inspirer les hommes. Car pour de nombreuses personnes la Bible est la parole de Dieu, parce qu'il a fait (!) la Bible ; et par conséquent tous les mots de la Bible sont intouchables, infaillibles et donc objectivement vrais. Avec cette constatation chaque échange et toute discussion par rapport à l'influence humaine sur le texte de la Bible et l'implication des auteurs humains dans sa genèse, sont à l'avance étouffés dans l'œuf. Et ceci se produit également pour la valeur éthique, l'aspect indissociable du texte de son époque, l'exactitude des textes bibliques, l'histoire laïque dans les récits et les résultats des recherches archéologiques et scientifiques. Dans la vision de ceux qui prennent cette position, tout ce qui se trouve dans la Bible est philosophiquement vrai et historiquement correct, la Bible est ainsi intouchable et invulnérable. Ils éprouvent chaque interprétation comme une attaque directe contre l'autorité de la Bible et de son auteur, Dieu lui-même.

Dans le reste de cette introduction, l'auteur veut donner aux lecteurs une idée de l'exégèse moderne, restant fidèle à la Bible et à la tradition ecclésiastique, en présentant d'abord le cadre de facteurs environnementaux et les pensées sous-jacentes à cette vision.

Qui nous a offert la Bible ?

De quoi parlons-nous en effet ? Quand les gens ouvrent la Bible, ils y trouvent des textes de différents genres littéraires. Elle est une collection de livres, incluant des littératures variées, indéniablement écrites et compilées par différentes personnes. Cet ensemble a été fixé au cours de l'histoire des synodes de l'Église ; pour tous ceux qui appartiennent à l'Église chrétienne, un choix unique a été fait d'un plus vaste répertoire d'écrits, de telle sorte que tous ceux qui croient en Dieu et au Christ se réfèrent aux mêmes textes, dits canoniques. Cette affirmation est d'une grande importance, car elle est le point de départ d'une vision biblique utile et moderne. Sur la base de de ce vaste répertoire d'écrits, Ancien et Nouveau Testaments (désormais AT et NT) ont été établis par des hommes (les Juifs dans le Ier siècle de notre ère, les Pères de l'Église ou les hommes d'Église pendant les conciles et synodes) et les chrétiens ont formulé leur foi, qu'ils soient orthodoxes, catholiques ou protestants

Une question s'impose alors à nous : quels ont été les critères de leur choix et pour quelles raisons ont-ils rassemblé ces genres littéraires et ces textes pour en faire leur livre unique ? On en sait relativement peu de choses. Et cela demande un historique complet du canon biblique pour valoriser leurs considérations et trouver une réponse quelque peu satisfaisante. De par la grande variété des livres et genres littéraires, de l'AT et du NT, tout porte à croire que les critères étaient ambigus et difficiles à déterminer.

Expliquer la Bible

Avec quel regard peut-on alors la Bible ? Quelles sont les manières fondées de l'étudier, l'interroger ou l'expliquer et lesquelles ne le sont pas ? La réponse à cette question est assez simple : il n'y a pas de méthode à bannir, ni de questions à éviter afin de comprendre la Bible. En ce qui concerne les méthodes nous savons que, tout au long de l'histoire, les êtres humains ont lu la Bible avec des explications ou des idées théologiques ou dogmatiques, qui, en leur temps, étaient communs et utilisables. Qui aujourd'hui, au XXIe siècle, pourrait dire que ces méthodes de lecture et ces études des textes anciens n'étaient pas scientifiquement correctes et par conséquent que leurs résultats en étaient faux ? C'est un jugement de valeur moderne sur des méthodes utilisées autrefois et des façons de penser d'une autre époque.

Cependant, aujourd'hui, de telles méthodes ne sont plus acceptables ou, tout au moins, considérées comme moins légitimes. Comment pouvons-nous comprendre les textes de la Bible, écrits il y a plus de deux millénaires ; et comment espérer les traduire vers une pratique religieuse et même laïque de la vie quotidienne du XXIe siècle ? Les méthodes doivent s'éprouver par elles-mêmes. Pour paraphraser cette phrase biblique, « c'est aux fruits qu'on reconnaît l'arbre », nous pouvons dire : à l'éclaircissement des mots de la Bible, qui produit une certaine méthode et des résultats utilisables pour les lecteurs et les croyants, on découvre qu'une méthode fonctionne vraiment et peut nous être utile. Cette découverte demande un certain temps d'usage.

Il y a encore un autre critère pour définir une méthode est bonne ou pas. Et ce critère concerne une méthodologie imitable dans le processus d'exégèse. Quand le lecteur moderne tente de pénétrer au cœur du sens d'un récit de la Bible, il est bon de procéder par degrés : en premier, rechercher une bonne traduction de la section de la Bible concernée ou la réaliser soi-même si l'on maîtrise l'hébreu et le grec biblique ; puis délimiter précisément le péricope (le début et la fin de l'extrait) ; ensuite déterminer le genre littéraire du texte et en fixer la structure (avec répétitions, tension, éléments difficiles à comprendre, etc.) ; enfin, indiquer les relations existantes avec d'autres textes bibliques. Une bonne méthode se manifeste quand une autre personne est capable de suivre ces étapes ou de les mener elle-même. Ceci ne signifie pas d'arriver systématiquement à des conclusions identiques ou à une explication similaire, mais le plus important est que chaque lecteur puisse répéter ce cheminement dans sa lecture personnelle d'un récit, d'un poème ou d'une histoire. Ceci est très important pour une discussion véritable sur le pourquoi et le comment des textes bibliques.

Ceci correspond, à notre avis, à ce qui est nécessaire pour l'Église entière et pour notre société. Pour certains croyants, il s'agit là d'un débat fondamental et par conséquent, d'une confrontation entre la foi biblique et les sciences bibliques. Ils affirment que leur propre foi en Dieu garantit les valeurs divines immuables et que la science s'érige contre Dieu, car elle met en doute toutes les vérités et les certitudes de foi. On pourrait discuter longuement sur ce sujet, mais je remarque surtout leur peur d'approfondir leur connaissance et leur appréciation des textes sacrés de la Bible, car on se met alors en route vers un horizon inconnu. Et se mettre en chemin sans connaître la destination n'est pas toujours apprécié des lecteurs de la Bible. D'autant plus que de fortes convictions risquent d'être malmenées. Car, en lisant la Bible, il est évident que nous trouvons des opinions différentes, des contradictions, des approches nouvelles de la foi, et il est parfois impossible d'unir dans une seule formulation dogmatique toutes ces données aussi divergentes. La question principale apparaît ici : si la Bible est le Livre de Dieu, comment une absence d'unité théologique est-elle possible ? À mon avis la réponse est très simple : le Livre a été écrit par des hommes, qui ont exprimé dans ces textes aussi leurs expériences, leurs différentes fois, et les conditions de vies qui ont été les leur à travers les onze à douze siècles de sa rédaction.

L'AT et le NT sont infiniment plus riches en motifs, en thèmes, en pensées et en visions religieuses, que la plupart des personnes, l'auteur inclus, peuvent comprendre, intérioriser et intégrer dans leur foi. La particularité de la Bible et de Dieu, qui en est la Personne centrale, est précisément la diversité et la richesse des images, des pensées et des points de vue théologiques. Il y a, me semble-t-il, un danger à toujours vouloir tout faire entrer dans un seul schéma dogmatique et rester continuellement en lien avec les traditions ecclésiastiques des deux millénaires passés. Au lieu de nous aider à mieux comprendre la volonté de Dieu à chaque époque, la tradition peut nous entraver : l'ampleur réelle de la pensée biblique et théologique s'y perd alors.

Trop souvent, la simplification de la richesse des multiples facettes de Dieu et de Jésus nous menace d'un grand danger. Lecteurs, croyants, exégètes, théologiens et tous ceux qui sont intéressés par la Bible doivent rester vigilants face à ce danger. Personne ne peut prétendre avoir totalement déchiffré toute l'ampleur du message biblique. Ce qu'on fait est de formuler un dogme personnel ; et celui-ci est en général une sorte de résumé de pensées et idées bibliques ; mais évidemment avec ses limites.

La liberté de lire et d'interpréter

Une bonne porte d'entrée à la lecture de la Bible est de s'en remettre à la liberté : la liberté de lire les textes, d'étudier les langues, de creuser dans les couches rédactionnelles d'histoires, de comparer certaines données bibliques avec celles d'autres religions et de l'histoire laïque ou de l'archéologie, d'essayer de comprendre ce que les innombrables auteurs bibliques, en leur temps, ont voulu dire, et enfin d'arriver à la question de la signification de ces mots ici et maintenant. Ce n'est pas une liberté bon marché, car celle-ci repose sur une croyance que les auteurs de la Bible veulent transmettre quelque chose de Dieu, de l'Autre à eux-mêmes et aux lecteurs (même inconnus). Ceci exige le respect de leurs décisions et de leurs écrits et une écoute respectueuse de ce qu'ils ont voulu communiquer. Car par tout ce que nous pouvons lire dans la Bible, Dieu veut nous dévoiler sa Personne. On y découvre l'intention divine de se présenter aux hommes, dans toute leur diversité et en différents temps et lieux. Dieu s'est confié à travers le travail d'innombrables personnes. Le concept de Dieu est devenu chair et papier. Mais Dieu ne serait pas Dieu si avec ces mots qui le décrivent, l'homme ne pouvait dessiner qu'une seule et unique image. Au contraire, les textes laissent chacun rencontrer Dieu dans sa diversité, sa complexité, son incomparabilité, et éventuellement, dans son impénétrabilité : Dieu peut être une Personne énigmatique, que des générations de croyants de tous temps essayent de comprendre. Mais le mystère, qui est Dieu, est toujours présent dans la foi des hommes.

Cependant, il nous faut admettre que cette trace écrite n'est qu'un moyen de communication entre hommes. Le lecteur de la Bible a pour tâche de comprendre l'intention de ses auteurs (écrivains, éditeurs et réadaptateurs des textes, etc.), quand ils ont confié au papier leurs expériences de croyants, leurs connaissances religieuses et leurs idées théologiques. Ils ont procédé avec, en arrière-fond, leur propre époque et son contexte social et culturel, pour eux-mêmes et pour ceux qui les entourent, proches et lointains.

Pour bien comprendre la Bible, le lecteur moderne a besoin de la science biblique qui, il faut le dire ouvertement, ne fonctionne que par essai et erreur. Comme chaque science académique, elle n'avance que par la formulation de théories, qui doivent être testées et, si nécessaire, modifiées et reformulées, pour offrir ainsi des méthodes et des cadres de direction, d'orientation et de compréhension des textes. Elle montre systématiquement les relations entre textes, genres littéraires, chapitres, cycles d'histoires et thèmes dans la Bible même ; et indique où et comment les auteurs se sont mutuellement influencés en écrivant leurs textes. Elle rassemble les données importantes qui sont à l'origine de l'élaboration d'une éventuelle théologie biblique. Un autre aspect de son travail est de rechercher la position de la Bible, de la religion qu'elle représente et ses histoires, pour les replacer dans une plus grande histoire séculaire et les comparer par la connaissance des autres religions.

La vérité biblique

Or, une question fondamentale demeure ; quelle est la part de vérité dans les conclusions des croyants, savants et chercheurs bibliques ? La question touche à un thème particulièrement important et complexe. Il n'est pas innocent de lire cette phrase mise dans la bouche du *real-politiker*

Pilate en entretien avec Jésus : « Qu'est-ce que la vérité ? » (Jn 18, 39). Le personnage de Pilate est la preuve vivante de la souplesse du sens de cette notion. Car la vérité humaine dépend à la fois de la puissance d'une personne ou d'un groupe et de la domination culturelle, militaire ou économique, des considérations politiques et religieuses, des traditions, et de la pertinence de l'heure et du lieu. La vérité absolue, que nous aimerions connaître, nul homme ne peut l'atteindre. Il est important de s'en rendre compte quand il est question de la foi. Traditionnellement les croyants aiment s'appuyer sur les mots de Jésus, tel que « Je suis le chemin, la vérité et la vie » (Jn 14, 6) ; Jésus possédant la vérité de Dieu. Du fait de leur union dans la foi avec lui, ils en déduisent que leur façon de croire et de penser approche, même partiellement, cette vérité divine. Sans vouloir donner l'explication et la signification des paroles de Jésus citées ici, il nous faut constater que cette forme d'intérioriser la vérité est pour l'homme moderne aussi relative que celle de Pilate : la foi en Dieu ne nous garantit malheureusement pas de comprendre exactement la volonté divine dans notre monde ; il nous reste toujours la modestie d'être humain et l'imperfection de notre compréhension des intentions de Dieu.

Pour éviter de tomber dans le piège d'un relativisme sans limites en ce qui concerne la connaissance de Dieu, il nous faut de la prudence quant aux affirmations comme « Dieu le veut... », ou « Dieu est... » Quand nous lisons la Bible, nous y rencontrons malheureusement trop souvent des hommes, qui connaissaient exactement la volonté divine, mais qui en fin de compte choisissent eux-mêmes leur propre chemin pour s'y précipiter avec leur peuple dans l'abîme du malheur. Des conclusions humaines après la lecture de la Bible devront, nécessairement, maintes et maintes fois être testées sur leur durabilité, leur cohérence et leur vigueur. Car, les gens sont-ils vraiment enrichis par ce qui a été découvert et/ou ce qui est le résultat de la pensée, ou bien sont-ils guidés par un écho de leurs propres pensées et sentiments, grâce à l'explication personnelle des textes bibliques ?

Or, si la connaissance de Dieu peut être tirée de la Bible, la création d'une image de Dieu, pour les hommes de notre temps, ne devra être faite qu'avec les plus grandes retenue et prudence. Les textes le demandent, car ce que nous pensons de lire à première vue, n'est en réalité, après beaucoup de recherches et de réflexions, qu'une vérité divine partielle. Surtout quand la Bible parle de violences et de guerres, les prémisses d'exégètes célèbres et sérieux, aussi inconscientes étaient-elles, ont influencés et compliqués la compréhension de telle façon que pendant des décennies toute autre explication possible en a été affectée (voir p. 80-85). Ce livre tente, à nouveau, d'ouvrir la discussion sur ces grands thèmes et changer l'orientation de leur compréhension pour aujourd'hui.

Une révélation divine

Revenons maintenant à une remarque précédente : « Par les paroles inscrites dans la Bible, Dieu veut se montrer aux humains ». Usuellement, nous appelons ceci la Révélation :

Dieu se révèle aux hommes. De nouveau voici un thème qui peut facilement conduire à de grandes spéculations et confusions. Pour certains groupes de croyants, on les trouve aussi bien parmi les soi-disant fondamentalistes[1] que parmi les théologiens modernes, la Bible est un bloc monolithique de la révélation de Dieu. Et *via* des routes totalement différentes, ils en viennent à la même conclusion, à savoir que la Bible, de la première à la dernière page, révèle Dieu et chacun de ses textes a la même valeur dans la révélation. Le risque serait alors que nous n'ayons plus besoin de réfléchir aux différentes façons de penser et de parler de Dieu, présentées dans la Bible. Tous les livres de la Bible ont, selon cette théorie, une même valeur et une même puissance théologique. Mais en étudiant la pratique de la science biblique, de l'exégèse, de la théologie chrétienne et avant tout de l'assemblage dogmatique, on peut constater, que quelques livres et quelques sections du texte de la Bible sont considérés plus précieux ou plus significatifs que d'autres. Ceci est frappant, car le contraire est en général revendiqué. En parallèle nous remarquons, particulièrement dans les milieux fondamentalistes, une tendance à considérer un grand nombre de données théologiques de l'AT comme « accompli » (en Jésus), « légaliste » (contrairement à « évangélique »), et comportant une image de Dieu dominateur et punissant (face aux idées nouvelles sur les actes salvateurs de Dieu, qui seraient formulées dans le NT). En faisant une séparation dans l'AT entre ce qui est utilisable ou non et en élevant le NT au dessus de l'AT, afin que celui-ci devienne le critère et le summum de ce que Dieu révèle au monde, on construit une vision trop restrictive de ce que la Bible nous transmet.

Pour comprendre le mot révélation nous avons deux angles d'approche : regarder du côté de Dieu, qui se révèle aux hommes ou de l'homme qui reçoit des révélations de la part de Dieu. Pour bon nombre de croyants et théologiens, la première approche semble d'être la plus facile. Après tout, on prend comme base le fait que Dieu se montre par l'intermédiaire de personnes ou dans la nature. Au sens biblique du terme, « Dieu parle » avec les humains (oui ou non par l'intermédiaire d'autres personnes ou des objets), « Il accomplit des actes » (Il réalise des changements dans le monde naturel humain), et « Il agit » (dans le monde des dieux). De cette façon, Dieu manifeste clairement qui Il est. L'initiative de cette révélation se trouve chez lui ; et donc penser et étudier les origines compliquées du texte de la Bible n'est pas dans cette approche nécessaire, car Dieu se manifeste, si nécessaire, aussi facilement par les auteurs et les rédacteurs de textes sacrés. La seconde approche est plus complexe, car elle nous demande d'entrer dans la peau des narrateurs, des auteurs, des éditeurs et des prédicateurs, et en toute liberté (donc sans préjugé ou idée préconçue) de sonder l'authenticité et la profondeur de leurs paroles. Ce qui implique que le lecteur moderne doit s'abstenir de toute pensée dogmatique ou d'une vision préalable sur la signification de la Bible.

Dans la pratique normale, cette dernière approche implique de prendre comme point de départ toutes les parties de la Bible avec une même valeur, mais en réalité le lecteur du texte, de préférence en lien étroit avec d'autres lecteurs et interprètes ayant même conviction religieuse, fait un choix parmi les images de Dieu disponibles. Le grand danger de cette gestion de la révélation est de voir naître une expression individuelle de croyance : un individu ou un petit groupe développe sa propre théologie et ses propres pensées dogmatiques en s'appuyant – souvent même à juste titre – sur la Bible. Cette façon de croire s'accorde très bien avec l'individualisation et l'atomisation de nos sociétés occidentales caractéristiques de notre temps, l'émergence de petits cercles, dans lesquels l'homme moderne se trouve et bouge. Mais pour l'avenir, pour la survie même, d'un collectif comme l'est l'Église, cette tendance à la dé-collectivisation pourrait à longue terme signifier le coup de grâce. Car les données d'un tel collectif – comme les douze tribus, le peuple d'Israël, les disciples et apôtres, les communautés qui forment l'Église – sont les plus importantes de la Bible et du christianisme. L'Église même y emprunte son droit d'exister.

Presqu'automatiquement s'impose cette question : afin d'éviter ce danger, faut-il préférer suivre la première approche de la révélation et écarter la seconde ? Notre réponse à cette question, est cependant négative. Il n'est jamais sage de mettre une distance d'une bonne approche d'un problème, purement basée sur la peur de possibles excès. Par contre dans un proche avenir, il est nécessaire de démarrer une consultation des exégètes et des théologiens systématiques, des dénominations ecclésiastiques les plus larges possibles, pour formuler ensemble les cadres et les conditions permettant de faire un choix des textes bibliques. Ce choix serait ensuite la base d'une formulation compréhensive de la Bible et de la foi chrétienne adaptée aux temps modernes : ensemble, on pourrait formuler une sorte de doctrine moderne, adaptable à l'avenir. Donc pas des textes doctrinaires immuables, mais placés sous le signe de la temporalité, orientés sur les questions des habitants du XXIe siècle et avec lesquels les nombreuses crises de leur vie quotidienne pourraient être accompagnées. Le christianisme se trouve plus que jamais face à une confrontation avec d'autres cultures et religions et obligatoirement elle se doit de montrer son message central, concernant particulièrement la paix dans ce monde. D'autant plus qu'aujourd'hui la violence et les guerres interreligieuses et intra-religieuses éclatent partout.

Revenant sur la Révélation, nous constatons qu'elle a deux faces : l'une quand les auteurs d'autrefois ont cherché à donner et communiquer une information concernant Dieu, et l'autre lorsque les exégètes et les théologiens de notre temps essaient systématiquement de traduire le message des premiers pour les contemporains croyants. La déclaration de foi qui appartient à cette situation est : Dieu se révèle au travers de ceux qui ont écrit la Bible et par le travail de ceux qui font l'effort de traduire la Bible pour les nouvelles générations.

L'inspiration

Le Saint-Esprit est généralement considéré comme une sorte de force qui inspire les gens et qui les guide sur le chemin des intentions de Dieu. Je pense et je crois – parce qu'en fait c'est une déclaration de foi – que les auteurs de la Bible, dans toute leur diversité, avaient une puissance d'esprit et avaient été touchés par Dieu pour accomplir leur travail. C'est ainsi que Dieu devenait « chair » dans les prophètes, les bergers, les théologiens, les pleureuses, les rois, les mendiants, les chanteurs et les acteurs. Les textes bibliques en sont le résultat. Ensuite, nous avons besoin de courage, de persévérance, d'intelligence, d'émotions, d'amour et de conviction pour ressusciter ces mots et pour les faire vivre dans les cœurs, les cerveaux et les mains de humains. Faisant ceci, nous comptons également sur l'Esprit de Dieu. Cela ne signifie malheureusement pas que tout devient directement clair ou sera immédiatement applicable et réalisable et que tous les problèmes de ce monde seront en l'instant résolus ! Au contraire, cela signifie que, lorsque nous nous occupons de comprendre la Bible, quand nous luttons avec son implication dans nos vies, et essayons de traduire son contenu à notre époque, quelque chose de Dieu est présent parmi nous et en nous : la Parole divine s'est de nouveau faite chair.

L'Esprit-Saint n'est d'ailleurs pas quelque chose, dont les gens peuvent disposer quand ils le veulent ou sur lequel ils ont un droit automatique en ouvrant la Bible. L'Esprit-Saint n'appartient à personne. L'Esprit-Saint est un don, qu'on peut peut-être demander pour soi et son travail, grâce à une grande concentration et un dévouement particulier. Encore une fois, l'Esprit de Dieu devient chair dans ceux qui ne se rendent pas compte – les autres aussi ne le découvrent pas toujours –, qu'ils sont la Parole incarnée.

Notre méthode de lecture

Rassembler, élaborer et communiquer les données sur la révélation divine nécessitent les présupposés suivants :

a. La déclaration de foi que nous avons à découvrir dans la Bible, comme unique moyen, l'autre, Dieu.
b. La constatation ecclésiastique que les auteurs de la Bible ont eu l'intention de fournir pour eux-mêmes et pour d'autres personnes intéressées en la foi à travers les âges, des images de Dieu.
c. Le constat méthodique que nous, les humains, devrons étudier le contenu de la Bible et aurons besoin d'apprendre comment l'apprécier. Compte tenu de la grande variété d'informations concernant Dieu, qui nous vient de la Bible. Peu à peu, nous devrons faire des choix, pour notre foi, dans cette large documentation disponible.
d. Le point de vue scientifique que la Bible ne lâche parfois pas automatiquement et facilement les informations concernant Dieu ; elle exige de nous beaucoup d'engagement pour inventorier, organiser les images de Dieu et les placer dans les cadres correctes de la théologie biblique, à l'intérieur de la Bible et dans les développements théologiques.
e. L'instruction théologique suivante : les images de Dieu de l'AT ne sont pas toutes à retrouver dans le NT mais elles sont toutefois importantes pour la théologie biblique et utiles comme base du résumé systématique et dogmatique de la foi en ce Dieu de la Bible.

Nous devrons apprendre à gérer le fait que Dieu est parfois présenté par les auteurs bibliques sous des traits tout à fait différents. Et essayerons d'y mettre un certain ordre, afin de pouvoir formuler, même temporairement et modestement, une vision commune des images de Dieu dans la Bible. Les thèmes de ce livre, en particulier, sont souvent une source de confusion et contiennent parfois même des images indésirables de Dieu, ils nous incitent à lire les textes minutieusement et avec beaucoup d'attention pour les mots et leurs sens réel, et pour les intentions des auteurs et rédacteurs.

Il est de la plus haute importance, que nous, quand nous lisons la Bible et essayons de l'expliquer, prenions en considération toutes ces différentes manières de créer les textes et que nous honorions les auteurs divers et leurs origines, avec leurs intentions en y donnant des réflexions dans les résultats de nos études. Après tout, de cette façon seulement nous obtenons une image variée et plus large de ce que les rédacteurs ont voulu transmettre de leur connaissance de Dieu et expériences avec sa présence dans leur vie. Bien sûr, on peut facilement objecter que nous nous sommes concentrés entièrement à l'aspect humain de la rencontre avec Dieu. C'est comme si Il [nous nous servons ici, simplement par tradition, du masculin ; pour nous Dieu transcende les sexes] disparaissait entièrement derrière l'homme écrivain et théologien. La constatation la plus forte que nous puissions faire sur ce point, est – et ceci est de nouveau une déclaration de foi – que Dieu a vraisemblablement voulu rencontrer les hommes par l'unique médiation d'autres hommes. Du côté divin, nous ne voyons que ce qu'Il a voulu montrer par l'intermédiaire des hommes. Lire et essayer d'expliquer la Bible implique pour nous aujourd'hui de nous mettre à côté de ces innombrables personnes, qui, dans ces écrits, ont exprimé leurs sentiments les plus profonds et leurs attentes d'un avenir proche et lointain, dans lequel Dieu a une place centrale.

I

LA PAIX, LA VIOLENCE, LA GUERRE (SAINTE), L'ENNEMI ET L'ÉTRANGER

Les mots se succèdent quand nous parlons de la violence : l'agressivité humaine connaît de multiples aspects et facettes.

Dans cette partie, nous limitons notre étude à quelques mots-clés. Puis nous élargirons le champ de recherche avec le terme, à notre avis fondamental pour la compréhension de la Bible, d'étranger. Est-il l'expression de l'inimitié ou d'un monde pacifique ?

1

Des mots bibliques

LA PAIX

Un des mots des plus importants de la Bible est sans doute le mot « paix » On le trouve partout dans la Bible : dans l'AT, le verbe hébreu avec les trois radicaux *SLM* est présent 160 fois et son substantif *(shalom)*, 358 fois ; dans le NT, le mot grec *eirènè* 91 fois. Ceci indique d'une part l'importance du mot, mais d'une autre la complexité de sa traduction et de sa compréhension. Car on ne peut simplement traduire ce mot, de l'hébreu ou du grec, par « paix ». Dans l'AT, nous nous trouvons devant mille ans de tradition de textes, pendant lesquelles cette notion s'est développée. On remarque aussi, dans le NT, que ce mot possède à la fois un sens quotidien et un sens théologique profond.

Quand on rencontre aujourd'hui un Israélien en Terre Sainte, il interroge, probablement, en hébreu moderne : « ma shalom-cha ? » = litt. « Comment c'est avec ta paix ? », plus correctement traduit : « Comment vas-tu ? »

ou peut-être simplement : « Bonjour ». Cela est l'exemple d'une expression hébraïque vieille de mille ans avant notre ère qui se retrouve précisément le même sens de nos jours. Comparons, par exemple, cette phrase moderne avec les expressions en 1 S 17, 18 et 22 ; 1 S 25, 5 ; 1 S 30 : 21, « s'informer du bien-être de l'autre » ou simplement « saluer quelqu'un » ou demander « Comment allez-vous ? ». Ceci pointe aussi la complexité de sa traduction. De la même façon, une personne peut saluer le départ d'une autre avec « Va en paix » (Ex 4, 19 ; Jg 18, 6 ; 1 S 1, 17 ; 1 S 20, 42 ; 25, 35 ; 2 S 15, 9 ; 2 R 5, 19). On pourrait parler d'une sorte de bénédiction, mais ceci me semble un peu trop lourd, pour une expression du quotidien. Cette phrase implique plutôt que celui qui parle ne s'opposera pas au départ de l'autre.

L'apparence de ce mot est pratiquement neutre, dans cette parole de Dieu à Abraham : « Toi, en paix, tu rejoindras tes pères… » (Gn 15,15) ; avec en opposition la phrase de David, mourant, à son fils et successeur Salomon, à propos du général Joab : « mais ne laisse pas ses cheveux blancs descendre en paix au séjour des morts » (1 R 2, 6). Dieu promet à Abraham une mort paisible, alors que David veut que Joab soit assassiné par Salomon. « Paix » indique ici une mort d'une façon naturelle. Abraham mourra après une vieillesse heureuse à un âge avancé ; Joab, par contre, sera exécuté, dans le sanctuaire, par Benayahu, le nouveau général de Salomon, quelques temps après la mort de David. Mourir en paix, ou être enterré en paix, est considéré comme un don divin et peut même faire partie d'une promesse de Dieu. C'est ainsi que la prophétesse Houlda annonce au roi Josias en présageant beaucoup de malheur pour son peuple : « tu leur [tes pères] seras réuni en paix dans la tombe et tes yeux ne verront rien du malheur que je vais amener sur ce lieu » (2 R 22, 20).

Dans l'AT, le mot *shalom* veut généralement dire paix. Dans les livres historiques, ceci implique d'abord l'absence de guerre, donc pour les habitants du pays une vie sans conflits, dans la quiétude et sans être dérangés par des attaques ennemies. Ainsi le disons-nous en langage courant : « laisse-moi en paix ». La Bible parle de la paix comme une absence de tensions physiques et psychologiques entre les hommes. Évidemment, nous trouvons au départ une situation d'esquive face à une confrontation entre de différentes personnes ou entre groupes (tribus ou nations) ; plus tard, dans le NT, on cherche plutôt la réconciliation active.

Le sens du verbe *shalom* se retrouve avec la même neutralité quand la notion se présente dans un contexte juridique, ce qui est régulièrement le cas dans l'AT. Le verbe signifie payer ou remplacer, c'est-à-dire donner une compensation pour une faute ou une erreur qu'on a faite. En quelque sorte, on égalise ou neutralise une situation problématique, afin de tout remettre en ordre initial. Ce qui était rompu, redevient entier. Les relations troublées par accident sont rétablies. Cette notion de totalité, d'arrondi, d'entier et de non partagé forme le cœur de ce mot. Ceci compte de même façon pour la santé. Être en bon état physique est également une expression de paix. En fait, les gens touchés par la paix, sont a*pai*sés, contents de leur nouvelle situation et peuvent recommencer leurs vies comme avant l'événement. On voit ici que la paix et la justice sont intimement liées. L'une est le résultat de l'autre.

Faisant un nouveau pas dans cette direction, nous arrivons à la signification d'avoir suffisamment, car les origines linguistiques du verbe s'approchent également de parfaire, perfectionner ou restaurer, compléter. Et la racine *SLM* ensuite s'élargit : être dans un état de grâce, être complet et, consécutivement, vivre dans une communauté pacifique. Donc, si une personne se trouve dans cet état de bien-être, elle est en paix avec ceux qui l'entourent ; elle a une relation d'amitié avec eux. Les gens sont agréables et en paix l'un avec l'autre. Ceci compte pour les individus, mais aussi pour les nations qui concluent une alliance de paix. Entre deux parties se manifeste de la paix (en période d'absence de guerre) et par conséquent de l'amitié. Le motif de la destruction des armes et la réconciliation des anciens ennemis, est l'expression concrète de cette paix, qui amène une situation nouvelle de bien-être. Ainsi que le dit le prophète Isaïe (Es 2, 4) « Martelant leurs épées, ils en feront des socs, de leurs lances ils feront des serpes. On ne brandira plus l'épée nation contre nation, on n'apprendra plus à se battre. » Et « Il [Dieu] brisera l'arc de guerre et il proclamera la paix pour les nations » (Za. 9, 10b).

L'aspect religieux joue également un rôle important dans les textes, car dans les conceptions des auteurs de la Bible, on ne peut réellement être en paix, expérimenter le vrai bonheur, que si l'on n'est en paix avec Dieu. Et précisément ici, la longue histoire du peuple israélite nous montre les difficultés de cette paix. Car, régulièrement,

Dieu devient l'ennemi de son peuple à cause de son apostasie, de son comportement asocial et de sa désobéissance aux commandements. Mais c'est Dieu qui donne la paix aux hommes. Le prophète Michée le dit quand il attend le roi sauveur, envoyé par Dieu : « Lui-même, il sera la paix » (Mi 5, 4). Dieu, par la médiation d'un roi juste, originaire de Bethléem, remettra la paix, l'ordre, la prospérité, la sécurité contre les ennemis étrangers dans son pays. Un autre exemple flagrant de l'implication de Dieu dans la paix humaine est la dernière phrase de la bénédiction d'Aaron : « Que le Seigneur porte sur toi son regard et te donne la paix » (Nb 6, 26). Ici la paix est un don supérieur de Dieu, la possibilité de vivre pleinement devant sa face.

Donc le mot paix dans la Bible couvre un vaste terrain avec des aspects neutres, et théologiques, plus ou moins profonds. *Shalom* ne parle pas seulement de l'absence de guerre, mais aussi des émotions, des sentiments et des expériences des hommes en eux et entre eux. Comme le prophète Deutéro-Isaïe le formule en regrettant que le peuple ait choisi son propre chemin, loin de la volonté de Dieu : « Ah ! Si tu avais été attentif à mes ordres, ta paix serait comme un fleuve, et ta justice comme les flots de la mer » (Es 48, 18). Paix signifie ici sauvé, non déporté de sa propre terre, exempt d'attaques ennemies. Ce mot exprime l'espérance des prophètes qu'un jour tout ira mieux pour le peuple en détresse et en exil à Babylone. Presqu'au même moment où Deutéro-Isaïe espère convaincre le peuple de se convertir et de chercher le chemin du Seigneur, le prophète Jérémie annonce au nom de Dieu : « Moi, je sais les projets que j'ai formés à votre sujet – oracle du Seigneur –, projets de prospérité [traduction de la TOB du mot *shalom*] et non de malheur : je vais vous donner un avenir et une espérance. » Ici la traduction du mot *shalom* est encore plus complexe qu'ailleurs, car la notion de paix est impliquée dans une interprétation positive : le peuple sera reconstruit, et reconduit vers ses terres et la ville de Jérusalem. Il aura alors un avenir plein de joie. Comme Jérémie le dit : « je leur dévoilerai les richesses de la paix et de la sécurité » (Jr 33, 6b). Voici le sens large du mot *shalom*.

Dans ce même axe de pensée, Dieu lui-même, selon les prophètes de l'époque, sera l'artisan, après la chute de Jérusalem (587 avant notre ère), de cet état de paix. Dans l'avenir du peuple, le royaume de paix sera donné par Dieu et sa justice y règnera. Le peuple peut vivre dans la tranquillité et la confiance pour l'éternité, sous condition qu'il soit juste et obéissant. Ainsi que Dieu le dit au peuple : « Si vous suivez mes lois, si vous gardez mes commandements et les mettez en pratique… je mettrai la paix dans le pays ; vous vous coucherez sans que rien ne vienne vous troubler » (Lv. 26, 3 et 6a). La paix dans tous ses aspects devient en quelque sorte, chez les prophètes, le mot-clé de l'époque messianique. Le salut et la vie paisible en sérénité et tranquillité sont l'expression de la présence divine parmi les hommes. Chez les prophètes, cette paix se manifestera au plus fort dans l'avenir lorsque l'hostilité même entre le peuple Israélite – plus tard : les Juifs – et ses ennemis disparaîtront. La paix éternelle pour tous les peuples de la terre règnera.

Dans la rencontre personnelle entre Dieu et l'homme, la paix joue aussi un rôle. Ainsi lorsque Dieu charge Gédéon d'aller sauver le peuple israélite par une intervention militaire (Jg 6, 11-24). Après quelques difficultés pour Gédéon à croire la Personne qui se présente comme le Dieu de son peuple, il accepte finalement que l'Autre soit Dieu. Celui-ci s'adresse alors à Gédéon avec ces mots : « La paix est avec toi » (v. 23). Paix implique ici que Gédéon, ayant vu l'ange de Dieu en face et en pense mourir, restera en vie. Il peut rester tranquille, sa vie n'est pas en danger. La réaction de Gédéon est, comme partout dans l'AT, de bâtir un autel pour Dieu, et de montrer que l'endroit est sacré ; c'est un lieu de rencontre où le ciel et la terre se touchent. Il donne à cet autel un nom particulier : « YHWH est paix ». On peut interpréter cette dénomination de deux façons différentes : Dieu a laissé en vie cet homme, Gédéon. Ou bien Dieu redonne une vie de liberté et de plénitude à son peuple. Or, il n'existe pas encore de paix dans le sens universel, donc pour tous et toutes nations, car nous sommes au seuil d'une guerre imminente avec les Madianites.

Les mots de Job sont, en quelque sorte, encore plus personnels dans sa confrontation avec le malheur envoyé sur lui par Dieu. Il a expérimenté qu'il n'y a ni « tranquillité [traduction de la TOB du mot *shalom*], ni cesse, ni repos » (Jb 3, 26). Car Job sait d'où viennent ses problèmes : « J'étais au calme [traduction de la TOB du mot *shalom*]. Il m'a bousculé. Il m'a saisi par la nuque et disloqué, puis m'a dressé pour cible. » Dans cette traduction nous découvrons que le mot *shalom* a un sens particulier, proche du bien-être normal. Job vivait normalement et cette tranquillité, cette normalité ont été dérangées par Dieu pour le tenter.

NT reprend ces pensées prophétiques avec le mot grec *eirènè* ; la paix y est une situation personnelle de bien-être. L'homme dans sa relation pacifique avec Dieu est devenu un être non violent ; il aime ses ennemis, qui par conséquent sont devenus ses amis ; il ne porte plus d'armes. Quand le NT parle de conflits, ceci concerne surtout une bataille entre les croyants et les pouvoirs noirs de monde : le mal, le diable, les puissances et les régisseurs de ce monde des ténèbres (ainsi Ep 6, 12). L'homme ne résiste à ces attaques qu'avec l'armure de l'esprit dont il est vêtu : « à la taille, la vérité pour ceinturon, avec la justice pour cuirasse et, comme chaussures aux pieds, l'élan pour annoncer l'Évangile de la paix » (Ep 6, 14-15). Ainsi la guerre est devenue quelque chose d'entièrement spirituel, donc les adversaires sont des forces spirituelles. Et c'est Dieu lui-même qui aide les croyants à gagner cette bataille et leur donne la victoire. C'est ainsi que nous pouvons lire le livre de l'Apocalypse ; bien qu'ici la réalité des ennemis terrestres ne soit pas niée, mais leur image est tellement apocalyptique qu'ils sont devenus les ennemis des fidèles de tous les temps et surtout les émanations du Mal. Pourtant, l'orientation du texte est celle de la victoire finale, où Dieu délivre son peuple et le guide dans son Royaume de paix éternelle. Ici, comme ailleurs dans le NT, la paix est une expression spécifique du salut : « Car le règne de Dieu n'est pas affaire de nourriture ou de boisson ; il est justice, paix et joie dans l'Esprit Saint » (Rm 14, 17).

Dieu donne la paix sur la terre, ainsi que les anges le chantent la nuit de la naissance de Jésus : « et sur la terre paix pour les hommes, ses bien-aimés ». L'intervention divine dans le monde en la naissance de Jésus est un acte de paix pour chacun. Mais Dieu n'est pas seul responsable de la paix dans ce monde. Dans sa prédication et dans sa propre façon de vivre, Jésus précise l'orientation du sens de la notion de paix en un des aspects que nous retrouvons déjà dans l'AT, c'est-à-dire la responsabilité de chacun de ses disciples et de ses auditeurs face à la paix. Jésus a pu emprunter ceci de l'AT, car déjà dans le livre des Proverbes l'homme qui instruit la paix est positivement mentionné : « mais pour ceux qui conseillent la paix, c'est la joie » (Pr 12, 20b). Il est important que les individus s'occupent eux-mêmes de la réalisation de la paix ; nous pouvons le lire, par exemple, dans les paroles du prophète Zacharie : « Mais aimez la vérité et la paix » (Za 8, 19).

Car la paix n'est pas seulement un don particulier de Dieu. L'homme, le croyant en Dieu et celui qui suit Jésus, a la tâche d'aider à réaliser cette paix entre les hommes. Ainsi l'apôtre Paul le formule-t-il aux Romains (Rm 12, 18) : « S'il est possible, pour autant que cela dépend de vous, vivez en paix avec tous les hommes. » De même façon les réconciliateurs sont déclarés heureux par Jésus dans son Sermon sur la Montagne : « Heureux ceux qui font œuvre de paix : ils seront appelés fils de Dieu. » Or, le premier pas pour faire la paix entre les hommes est d'aimer ses ennemis. La parole de Jésus est assez radicale sur ce point, car si tu aimes ton ennemi, il n'est plus ton opposant. Au lieu d'aller le chemin de vie dans une direction opposée, on se met à coté de l'autre et on poursuit son chemin dans la même direction. En résulte la non-violence de l'homme envers autrui.

Par contre, deux évangélistes, Matthieu (10, 34) et Luc (12, 51), citent les paroles de Jésus : « Pensez-vous que ce soit la paix que je suis venu mettre sur la terre ? Non, je vous le dis, mais plutôt la division. » Ici semble apparaître une réelle contradiction avec la charge des disciples à développer la paix et Jésus lui-même semble à l'origine des conflits entre les hommes ; très loin donc d'une situation de paix. À mon avis, l'explication de ces mots est plus correcte si l'on considère la réalité de chaque jour qui nous montre que depuis Jésus, son attitude personnelle, sa prédication et son exemple de non-violence ne sont pas appréciés par les membres de son peuple et par tant d'autres. Cet écart d'appréciation est la raison de beaucoup de conflits entre membres d'une même famille, d'un même clan, d'une même nation, d'une même croyance ou d'une même église. La foi en Jésus et en sa façon de vivre sépare les gens, croyants ou non-croyants et se trouve à l'origine d'énormes conflits, parfois meurtriers. L'histoire de l'Église l'a montré trop souvent, jusqu'à nos jours. La division entre deux groupes de chrétiens, ceux qui essayent de réaliser la paix dans ce monde par la non-violence, et ceux qui acceptent l'arme physique comme moyen d'auto-défense ou même d'attaque, semble pour l'instant être insurmontable. La situation actuelle dans le monde, avec les dangers du terrorisme, fait que le second groupe, qui est, déjà depuis l'incorporation de la chrétienté dans l'Empire romain au

IVe siècle, plus grand et plus fort que le premier, reçoit plus d'approbation et soutien.

Une dernière parole de Jésus demande notre attention : « Je vous laisse la paix, je vous donne ma paix. Ce n'est pas à la manière du monde que je vous la donne. Que votre cœur cesse de se troubler et de craindre » (Jn 14, 27). Ici nous trouvons le point culminant de l'expression du mot paix dans la prédication de Jésus. Il s'adresse à ses disciples au moment même de les quitter, commençant sa bataille contre le mal et les pouvoirs religieux et politiques de ce monde, personnifiés par le clergé juif et les Romains. Jésus dit : « Je vous laisse la paix, je vous donne ma paix ». L'explication de cette double utilisation du mot paix est que Jésus commence avec la salutation normale « la paix », et qu'il renforce par « ma paix » pour accentuer le fait que ce ne soit pas une phrase commune, superficielle ou pieusement intentionné, dont il se sert. Non, pour lui la paix qu'il leur donne, n'est pas facile, vite faite, ou vite dite. Au seuil de la souffrance, au seuil de sa mort – sa vie donnée pour ses amis –, Jésus montre que la paix implique la victoire sur la mort, sur les pouvoirs noirs, sur l'angoisse, sur la crainte, au final tout ce qui peut troubler l'homme. L'important est la paix en soi, avec les autres et avec Dieu. La paix est la vraie vie en joie et en amour avec la certitude de sa protection continue. Pouvoir donner cette paix est une prérogative divine, que Jésus a reçue comme le Messie.

Or le mot paix, régulièrement en combinaison avec le mot grâce, est devenu un état que les chrétiens se souhaitent. Les cultes chrétiens commencent presque tous avec ce vœu simple : « Grâce et paix de la part de Dieu notre Père et du Seigneur Jésus Christ ». Fondée sur la grâce que Dieu nous accorde de le connaître et de le rencontrer pendant le culte, nous pouvons vivre dans la paix, comme Jésus l'a voulu : une paix spirituelle donc entre Dieu et nous, et une paix entre hommes, une paix qui n'est pas troublée par les pouvoirs noirs de ce monde. Car « le Dieu de la paix écrasera bientôt Satan sous vos pieds » (Rm 16, 20). Sur le plan théologique, l'apôtre Paul parle de la réconciliation entre Dieu et les hommes. Dieu donne la paix entre Lui et les humains par un acte de grâce, concrétisé dans la vie et la mort de Jésus : « Mais maintenant, en Jésus Christ, vous qui jadis étiez loin, vous avez été rendus proches par le sang du Christ. C'est lui, en effet, qui est notre paix de ce qui était divisé, il a fait une unité » (Ep 2, 13-14 ; voir aussi Col 1, 20).

LA VIOLENCE

De plus en plus, l'homme moderne, dans le monde occidental, se sent choqué par la violence de différents groupes (ne sachant pas trop bien qui ils sont vraiment, on les appelle régulièrement et trop facilement, car sans les différencier, « des terroristes ») pour qui une vie humaine semble n'avoir aucune valeur. Lapidations, décapitations, pendaisons, autodafés ou tortures de toutes sortes ; il semble qu'il n'y ait aucune fin à cette extrême violence humaine. Chacun peut la regarder à la télévision ou sur les écrans des portables. Depuis la Seconde Guerre mondiale, on a rarement assisté à autant de cruautés dans le monde occidental. Or, le plus grave en est les références régulières des auteurs à une religion, qui leur a vraisemblablement permis ou même incité à commettre ces actes. On a l'impression de se retrouver au Moyen Âge ou au début de la Renaissance, ou au temps des guerres de religions, quand le christianisme connaissait pareille véhémence agressive et destructrice. Parfois avec un certain mépris et avec condescendance, les Occidentaux pensent que les acteurs de l'agression et de la violence doivent encore traverser les Lumières. En tout état de cause ont-ils oublié leur propre comportement depuis les Lumières en Occident et ailleurs dans le monde ?

Le thème de la violence humaine se trouve à la base de toute discussion sur les guerres bibliques et évidemment, dans les recherches de l'AT. Surtout quand on parle de la violence physique et psychologique et de l'implication de Dieu dans les batailles humaines. On la retrouve dans les actes de guerres et dans l'interdit, mais aussi dans les phénomènes cosmiques qui accompagnent les interventions divines dans les guerres humaines. Il est connu que beaucoup de chrétiens, et lecteurs sérieux de la Bible, se sentent embarrassés de cette violence, en particulier quand elle vient de la main de Dieu. Donc, si nous voulons parler de la violence dans la Bible, des guerres dans lesquelles le peuple israélite de l'AT est impliqué et celles dans lesquelles Dieu joue un rôle, il est bon de continuer notre lecture biblique avec la notion de la violence. D'abord dans l'AT et ensuite dans le NT, pour arriver ensuite au thème des guerres dans la Bible.

Dans l'AT nous trouvons plus de six cents textes concernant la violence humaine et environ mille textes traitant de violence divine ; ici la violence est comprise dans le sens le plus large du mot. Donc une quantité non négligeable de références sur ce thème, ce qui montre son importance, mais aussi les différents aspects de cette notion, aussi bien éthiques que physiques. Violence signifie pour les auteurs bibliques : le mal, la douleur, la répression, la destruction, le faux témoignage, l'injustice, le langage préjudiciable, et les mécanismes sociaux néfastes. Les hommes sont aussi bien acteurs que victimes de cette violence, et à l'origine de leur comportement asocial, se trouvent surtout la haine, la cupidité et l'agressivité.

L'hébreu de l'AT connaît plusieurs mots pour ce que nous traduisons en français par violence. Nous traitons ici de trois mots trouvés de façon régulière qui indiquent que le thème est très répandu dans les textes bibliques et par conséquent essentiel pour la matière que nous traitons dans ce livre. D'abord le verbe avec la racine avec les trois radicaux *GZL* = « prendre par la force », « voler », « arracher », « un vol », « une chose pillée », « la justice qui extorque ». Le verbe exprime le comportement violent et criminel des personnes, de tous niveaux sociaux, et implique que la justice doit être faite afin de rétablir la situation légitime. Mais malheureusement, les responsables du droit et de la justice ne sont pas toujours prêts à changer une situation néfaste. Comme le prophète Michée le dit au sens métaphorique aux chefs et magistrats : « Vous qui haïssez le bien et aimez le mal, qui arrachez la peau de dessus les gens et la chair de dessus leur os » (Mi 3, 2). Mais adressé aussi au roi et son entourage : « Rendez la justice chaque matin, libérez le spolié du pouvoir de l'exploiteur » (Jr 21, 12a). Par contre, les Benjaminites regagnent un avenir pour leur tribu, en retrouvant des femmes : « Parmi les danseuses qu'ils avaient enlevées (traduction de la TOB de *GZL*), ils emportèrent des femmes en nombre égal au leur » (Jg 21, 23). Ici l'acte est violent, mais semble d'être accepté par les membres des autres tribus pour reconstituer la tribu de Benjamin souffrant d'un manque de femmes. Le verbe est aussi utilisé dans un sens plus général surtout chez Job : « Puisqu'il a écrasé et délaissé les pauvres, qu'il a volé (traduction de la TOB de *GZL*) une maison au lieu de la bâtir » (Jb 20,19) et « On fait paître des troupeaux volés » (Jb 24, 2) ; mais le verbe peut aussi avoir un sens plus naturel : « Le sol altéré et la chaleur engloutissent l'eau des neiges » (Jb 24, 19).

Ensuite la racine avec les trois radicaux *ChZQ* = « être ferme », « être fort » ; ce verbe, que l'on trouve 290 fois dans l'AT, réfère à la force physique des hommes. Un peuple peut être fort (Jg 1, 28) ou le pouvoir d'un roi (2 Ch 26, 15) ; une bataille est véhémente (2 R 3, 26 ; Moab la perd des Israélites). On se sert aussi de cette racine dans le sens d'être courageux ; par exemple quand David dit aux hommes de Yavesh de Galaad, qui ont perdu leur roi bien-aimé, Saül, « Et maintenant que vos mains soient fermes. Soyez des hommes vaillants » (2 S 2, 7). Avec en sous-entendu : « il vous faut me choisir comme votre nouveau roi… » Moins suggestif est l'utilisation de ce verbe quand on dit que le roi, représentant de son état, « est fort » ; c'est à dire qu'il exerce de la force militaire. En général, la nation la plus forte supprime la nation la plus faible ou la vainc : « Lorsque les fils d'Israël furent assez forts, ils soumirent les Cananéens à la corvée » (Jos 17, 13). Ceci compte également quand une personne remplace une autre de force (par exemple lors d'une prise de pouvoir). Ici la racine exprime un acte de violence contre une personne humaine. De même quand une personne (un homme) fait une mauvaise utilisation de ses forces vis-à-vis d'une femme, donc « violer ». « Mais il [Amnon, le fils du roi David] ne voulut pas l'écouter. Il la [Tamar, sa demi-sœur, fille de David] maîtrisa, lui fit violence en couchant avec elle » (2 S 13, 14).

On se sert également de ce verbe dans un sens émotionnel lorsqu'une personne est accaparée par la peur ou l'angoisse. Comme par exemple chez Jérémie : « À cause du désastre de mon peuple, je suis brisé. Je suis dans le noir : la désolation me saisit ! » (Jr. 8, 21). Mais les textes hébraïques de l'AT n'utilisent pas seulement cette racine lorsqu'ils parlent des humains, on s'en sert aussi quand Dieu est concerné. Et dans ce cas la façon de s'exprimer avec ce verbe est anthropomorphe. Dieu est considéré comme une personne avec une stature humaine, car selon la Bible l'homme est crée à l'image de Dieu et régulièrement, on prend ceci dans son sens littéral. Dieu est donc décrit comme l'homme avec une force physique, un potentiel spirituel et des émotions. Mais ces potentialités chez Dieu sont agrandies d'une telle façon qu'Il surmonte sans limites l'humain. C'est ainsi que la Personne de Dieu devient celui qui domine l'homme. Le prophète Jérémie est très affectif quand il s'adresse à Dieu : « Seigneur, tu as abusé de ma naïveté, oui, j'ai été bien naïf ; avec moi tu as eu recours à la force et tu es arrivé à tes fins » (Jr 20, 7) ; ou encore « la main du Seigneur était sur moi, très dure » (Ez 3, 14c).

En étudiant la violence dans l'AT, la racine la plus importante est avec les trois radicaux *HMS* = « traiter violemment » ou « agir violemment ». Ce verbe a une vaste étendue de significations, concernant aussi bien l'atteinte morale que le mal physique. La Bible parle en particulier de la méchanceté extrême, d'être un témoin malveillant, de l'injustice institutionnelle, d'un langage préjudiciable, et des mécanismes violents. Mais aussi de cupidité ou de haine, avec pour conséquences la souffrance des innocents. Il est évident que ces maux sont d'origine humaine et intentionnés, ils ne sont pas des désastres naturels.

Le mot *HaMaS* se prononce de la même façon que celui du groupe politique et militaire palestinien actif surtout dans la bande de Gaza, qui porte ce nom Hamas. Bien que la langue hébraïque et l'arabe aient beaucoup en commun, ce nom moderne n'est qu'un acronyme partiel de *harakat al-muqâwama al-'islâmiya* (arabe pour : « Mouvement de résistance islamique ») ; donc il n'a rien à voir avec le mot violence. Ce qui n'exclut pas que la violence fasse partie de ses activités.

Dans la Pentateuque, on voit que la violence humaine, comme par exemple le meurtre d'Abel par Caïn, entrave la création. Et que cette violence exige de Dieu un acte créateur ou, comme dans le cas de Caïn, un geste protecteur.

Caïn, dans le récit de Genèse 4, représentant de l'humanité, est un meurtrier, qui selon la *ius talionis* (la loi du talion consiste en la juste réciprocité du crime et de la peine) devrait être tué lui aussi. Mais, bien que chassé de sa terre d'origine, Dieu le protège, par son signe, de la violence des autres personnes. Déjà dans ce récit, nous découvrons par le message biblique que les chemins de la revanche, de la vendetta, ou de la violence sont à éviter.

Il est évident que le côté physique est important, lorsque nous parlons de la violence, c'est qu'il y a action, on « fait » quelque chose. Néanmoins, selon la Bible – et elle est en ce sens très moderne – on peut commettre de la violence par la parole (voir Pr 10, 6 et 16, 29). Les notions abstraites comme la cupidité, l'avidité, l'exploitation des pauvres ou la haine jouent un rôle, ainsi que des fausses accusations et les cours de justice iniques. Nous arrivons à un terrain sémantique large, où chaque intrusion dans la vie normale ou dans une procédure juridique usuelle est considérée comme un acte de violence.

Cette façon de parler de la violence est typiquement israélite ; on ne la trouve nulle part ailleurs dans le Moyen-Orient. On pourrait dire que la Bible est éthiquement sociale, c'est-à-dire surtout intéressée par les rapports sociaux dans le peuple israélite. L'infraction aux commandements de la Thora est considérée comme un acte de violence ; ainsi le prophète Sophonie l'affirme (So 3, 4) « ses prêtres [...] ont violé la loi ». Il s'exprime encore en termes généraux, mais son collègue Jérémie est plus précis dans sa formulation quand il dit : « Ainsi parle le Seigneur : Défendez le droit et la justice, libérez le spolié du pouvoir de l'exploiteur, n'opprimez pas, ne maltraitez (traduction de la TOB de *HMS*) pas l'immigré, l'orphelin et la veuve » (Jr 22, 3). Le prophète interdit, au nom de Dieu, l'exploitation brutale des faibles, de l'étranger, de la veuve, ou de l'orphelin. Ces personnes ont besoin de protection et d'aide plutôt que de maltraitances mettant en danger leur vie. Le prophète Amos le note franchement : « Ils n'ont pas de sens de l'action droite, ces entasseurs de violences et de rapines dans leur palais – oracle du Seigneur » (Am 3, 10). Pour lui, le comportement des chefs du peuple, des nobles et des hauts militaires est néfaste, car ils volent les pauvres pour s'enrichir et emplir leurs maisons. Voler, exploiter, opprimer font partie de la violence humaine qui rompt l'ordre social voulu par Dieu.

Le point culminant, pour les auteurs de la Bible, est tout de même l'injustice qui est considérée comme la violence par excellence. Une Cour de Justice avec des magistrats injustes, de faux actes d'accusation, de faux témoins, des inculpés et des condamnés innocents, voilà tout les aspects de cette violence sans pareille à laquelle les prophètes, les textes juridiques et les psaumes s'opposent. Car le système juridique est institué pour protéger les gens contre l'iniquité et la violence. Quand ce système est orienté vers son contraire, il est devenu pervers. Et régulièrement nous découvrons dans les psaumes et les textes prophétiques les appels à Dieu pour remettre de l'ordre en la justice. Le droit et les lois, lorsqu'ils viennent de Dieu, sont bons, la façon dont les rois et l'élite s'en sert est parfois criminelle. Le peuple de Dieu, la société humaine sont profondément en danger si le droit et la justice se montrent violents.

Dans certaines prophéties, nous pouvons lire l'attente de l'intervention divine, parfois appelée « Jour de Dieu ». Trop brièvement dit : attente que Dieu remette de l'ordre dans le système juridique humain, qu'il protège les pauvres et faibles et qu'il impose au peuple des chefs justes. Cette intervention existe en un acte de Dieu qui punira violemment les malfaiteurs. Ici la violence humaine est neutralisée par la violence divine. Ce n'est donc pas pour rien que dans la Septante (= LXX, l'ancienne traduction en grec d'avant notre ère) la racine *HMS* est traduite avec *adikia*, c'est-à-dire « l'injustice ». Mais la violence ne se dirige pas uniquement vers les êtres humains, le verbe *HaMaS* est aussi utilisé quand un cep de vigne en devient la victime. On peut détruire de force une vigne, une habitation ou même une nation ; c'est donc toute la création qui est concernée par la violence.

Avec ce terme, la Bible condamne également ceux qui n'acceptent pas la Thora (la Loi) : « ses prêtres ont profané ce qui est sacré, ils ont violé la loi », se complaint le prophète Sophonie (So 3, 4). Quelques fois la violence s'oriente vers Dieu, en particulier concernant un crime de sang. Après l'injustice humaine, sociale et juridique, c'est dans le cas d'un homme coupable d'un crime de sang, que Dieu est impliqué. Lorsque Dieu est saint et juste, c'est lui qui en cachant sa face (Is 59, 2) ou en la détournant de l'homme (Ez 7, 22), chasse les coupables de leurs terres, parfois en les tuant (Gn 6, 13). Leur lieu d'origine est touché alors par sa malédiction et par l'anéantissement. Ce *HaMaS* résulte en l'abandon par Dieu de sa création (voir l'histoire du déluge en Gn 6, 11-13).

En fait il n'y a que Dieu qui puisse sauver l'homme de cette violence humaine. Dans les Psaumes, nous trouvons beaucoup de textes où l'homme fait appel à Dieu pour le sauver, lui rendre justice, le protéger ou lui accorder sa rédemption. Par exemple dans le Psaume 58,3, qui décrit le comportement des juges injustes, Dieu est invoqué pour les punir. Que la personne accusée à tort expérimente dans un procès la violence, exprimé par *HMS*, est d'autant plus pervers, car elle devrait y trouver protection contre ce *HMS*. Par conséquent les victimes de cette injustice espèrent que le futur roi, qui représente le temps du salut, rendra des jugements équitables en faveur des pauvres et des petits sans défense, pour les sauver de cet *HMS*. Dans ce cadre, le mot qui donne contrepoids à la violence *(HMS)* est bénédiction : le bon pour les créatures. Mais Dieu ne répond pas toujours aux appels humains pouvons-nous lire dans cette lamentation du prophète Habaquq, quand il dit : « Jusqu'où, Seigneur, mon appel au secours ne s'est-il pas élevé ? » (Ha 1, 2).

Il est connu que les lecteurs croyants de notre époque sont particulièrement dérangés par la présence de la violence dans certains Psaumes, d'autant qu'ils sont souvent utilisés dans la liturgie journalière et dominicale, comme introïts, prières ou chants. Or, nous lisons que le psaumiste demande ouvertement que Dieu se manifeste par des actes violents et vengeurs en leur faveur. Et on se demande si Dieu veut et peut exaucer cet appel à la violence envers d'autres personnes. Mais il n'est pas possible de nier cette expression de la volonté humaine d'agressivité et de vengeance physiques, car nous pouvons déterminer différentes formes littéraires dans les Psaumes qui renvoient à la violence. Les auteurs observent qu'ils sont entourés de beaucoup de violence ; qu'ils vivent dans un monde violent, parfois presque inhabitable pour les croyants ; et qu'il y a partout des victimes des méfaits, de l'agressivité et de l'injustice. Voici une image que les lecteurs modernes reconnaîtront sans doute, ils la voient à la télévision, sur leurs petits écrans, en dans les journaux ; donc rien de nouveau ou de très choquant. Très proche de ces expressions sont les constatations régulières dans les Psaumes que les psaumistes, les chanteurs, ou ceux qui prient, sont eux-mêmes devenus victimes de toute sorte de violence. Et ils protestent en démasquant les auteurs et malfaiteurs, et font appel à Dieu pour leur apporter la justice et de l'aide. Mais la violence qui pourrait choquer est celle de demander la violence divine pour punir ou même détruire les agresseurs, les juges faux, ou les ennemis agressifs.

Il est clair que l'homme, même en priant et en s'adressant à Dieu, se montre dans un désespoir total et dans l'agressivité qui en résulte. La Bible, comme ici dans les Psaumes, nous montre des êtres humains, et non pas des demi-anges. Ceux-ci cherchent la punition et la destruction de ceux qui les ont heurtés, haïs et agressés. En fait la Bible nous dit que l'homme avec toutes ses capacités, sa compréhension et sa foi, reste un homme avec ses faiblesses, qui peut dire et prier ce qu'il veut, et même demander des actes impropres, mais Dieu lui répondra avec tendresse, pitié et gestes d'amour.

Une seule fois, dans l'AT, Dieu est le sujet du verbe *HaMaS* en Jb 19, 7 : « Si je crie à la violence, pas de réponse, si je fais appel, pas de justice ». Ici Dieu est à l'origine de la violence expérimentée par Job ; et celui-ci fait appel à Dieu pour se justifier afin de comprendre ce qui se passe, mais Il ne le lui répond pas. L'homme sent la violence dans tout ce qui est tombé sur lui : Il se sait dépouillé de tout ce qu'il était avant, il vit sans espoir, sans membres de sa famille et sans amis ; il est devenu un banni de sa propre famille et de la société tout entière à cause de son corps et son visage défigurés et des odeurs qui l'entourent. Bref, Job est à la limite de la destruction totale, par les actes de Dieu. Ici nous voyons l'amplitude du mot violence physique, psychologique et sociale.

La racine *HMS* est de la même manière apparentée à d'autres conceptions comme le verbe *SaDaD*, qui concerne la violence comme acte : une personne fait acte de violence ; tandis que *HMS* se concentre surtout sur l'essence de la violence et ses résultats désastreux. Ainsi d'autres termes jouent un rôle comme le malheur, la catastrophe, l'orgueil et l'arrogance.

À part ceci, nous trouvons dans les textes bibliques quantité de références à la violence divine ; par exemple quand Dieu se sert de la violence pour libérer le peuple de l'oppression des Égyptiens. Nous y revenons plus bas lorsque nous parlons de guerres dans lesquelles Dieu est impliqué.

• De l'AT au NT

Déjà l'AT, dans les textes prophétiques, donne une autre approche du terme violence qui prépare la compréhension de ce mot dans le NT ; c'est le cas dans le livre d'Esaïe (Deutero-Esaïe, le prophète à l'origine des chapitres Es 40-55). C'est ainsi qu'il fait le lien entre les deux parties de la Bible. Deutéro-Esaïe a crée les poèmes du Serviteur de Dieu dans Es 42, 1-7 ; 49, 1-6 ; 50, 4-9 et 52, 13-53, 12. Ce Serviteur a la faveur du Seigneur, qui a répandu sur lui son souffle de vie (Es 42, 1). Car le serviteur doit devenir le sauveur de son peuple (Israël) et de l'humanité tout entière en l'instruisant, et il établira définitivement l'alliance entre Dieu et son peuple. Et tout ce qu'il expérimente de bonheur et de souffrance est vécu en communion avec Dieu. Car sa vocation va très loin : « C'est trop peu que tu sois pour moi [Dieu] un serviteur en relevant les tribus de Jacob, et en ramenant les préservés d'Israël ; je t'ai destiné à être la lumière des nations, afin que mon salut soit présent jusqu'à l'extrémité de la terre » (Es 49, 6). Cette tâche se réalise en souffrance : « J'ai livré mon dos à ceux qui me frappaient, mes joues, à ceux qui m'arrachaient la barbe » (Is 50, 6a). Mais à cette forme de violence le serviteur n'a réagi qu'en rendant « son visage dur comme un silex » (v. 7c). Il accepte la souffrance infligée par les siens : « Il était méprisé, laissé de côté par les hommes, homme de douleurs, familier de la souffrance [...] oui, méprisé, nous l'estimions nullement » (Es 53, 3). Et il ne dit rien : « Brutalisé, il s'humilie : il n'ouvre pas la bouche, comme un agneau traîné à l'abattoir, comme une brebis devant ceux qui la tondent : elle est muette ; lui n'ouvre pas la bouche » (Es 53, 7).

Ici nous trouvons dans les prophéties la base de la réaction non violente à l'agression humaine, qui sera également typique de Jésus et après lui des hommes comme, par exemple, Mahatma Gandhi et Dr Martin Luther King (voir p. 257-259). L'*ius talionis*, la rétribution dans les réactions humaines à la violence, est surmontée par la victime et changée en une attitude absolument pacifique. Donc l'AT connaît déjà la distinction entre la violence et la force légitime et parle du serviteur de Dieu (qui n'est théologiquement parlant pas nécessairement le Messie, car cette identification ne se trouve que dans le NT et la théologie chrétienne), pour mettre fin à la violence et pour établir la justice sur la terre.

• Le Nouveau Testament

Dans le grec du NT, nous trouvons : *bia* = « une force hostile » ; *biastès* = « une personne violente » ; et *biazoo* = « forcer l'entrée », « détruire », « tuer ». Le mot violence comme tel se retrouve dans un seul cas dans les évangiles et très peu dans le NT entier. Nous le voyons d'abord dans la nature, dans le sens de fort ou extrêmement fort : « un bruit qui venait du ciel comme celui d'un violent coup de vent » (Ac 2,2) et « les coups de mer » (Ac 27, 41). Ensuite dans les actes humains (Ac 21, 35 s.) : « Quand ce dernier [l'apôtre Paul] fut sur les marches de l'escalier, les soldats durent le porter à cause de la violence de la foule, car le peuple tout entier le suivait en criant : “À mort !” » Ici le mot violence est peu défini, mais implique sans doute quelque chose de négatif pour Paul, qui peut en devenir la victime. Plus clair est l'utilisation du mot dans un autre événement (Ac 5, 26) : « Alors le commandant partit avec ses serviteurs pour ramener les apôtres, sans violence toutefois, car ils redoutaient que le peuple ne leur jette des pierres ». Vraisemblablement les serviteurs de l'État étaient peu subtils dans leurs gestes, lorsqu'ils arrêtaient des opposants aux pouvoirs religieux ou politiques [une situation connue de tout temps]. Mais dans ce récit, Pierre et les autres apôtres ont pu échapper à la prison avec l'aide de l'ange de Dieu (Ac 5, 17-20) et se retrouver dans le Temple à Jérusalem pour annoncer et enseigner le message du Christ ressuscité. Le commandant chargé de leur nouvelle arrestation se comporte correctement, avec sa garde, par peur de susciter de l'agressivité parmi l'audience de Pierre.

Dans les évangiles, le mot violence n'est utilisé que deux fois dans des textes parallèles. Chez Matthieu (11, 12) : « Depuis les jours de Jean le Baptiste jusqu'à présent, le royaume des cieux est assailli avec violence ; ce sont des violents qui l'arrachent ». Et ensuite chez Luc (16, 16) : « La Loi et les Prophètes vont jusqu'à Jean : depuis lors, la bonne nouvelle du royaume de Dieu est annoncée et tout homme déploie sa force pour y entrer. » Dans les deux cas Jésus a pris la parole dans une situation précise ; chez Matthieu, lorsqu'il parle de la position de Jean dans l'histoire du salut et, chez Luc, cette phrase suit à une déclaration véhémente à l'égard des pharisiens. Que veulent dire violence ou force ici ? Il est probable, mais non certain, car les exégètes ne sont pas univoques, que Jésus dans cette parole en réfère à l'agression humaine face à son effort à établir le royaume de Dieu, la vie en bonheur, le pardon et l'amour et la présence divine, créés par sa présence et par sa résurrection. Ces textes reflètent la situation de l'Église encore jeune. Par la violence des autres, l'avenir du royaume est en danger et empêché de se développer librement.

Même si le mot violence n'est pas souvent utilisé dans le NT, nous découvrons un comportement humain agressif et violent vis-à-vis d'autrui : envers Jésus, envers les Juifs (dans les textes), envers les pauvres, etc. Par exemple, la réprimande de Jacques dans son épître, quand il reproche aux riches : « Mais vous, vous avez privé le pauvre de sa dignité » (Jc 2, 6), suivie par la phrase : « N'est-ce pas les riches qui vous oppriment ? » La violence n'est pas seulement extérieure à la communauté des chrétiens ; l'apôtre constate chez les Juifs la même attitude qu'ailleurs [le mot riche a un double sens : riches en argent et riche en traditions contre pauvre en biens et pauvre en tradition croyante comme les païens convertis].

Les évangiles nous confrontent régulièrement avec la violence humaine, dont Jésus devient aussi la victime. Les prêtres juifs avec leurs menaces spirituelles et les soldats romains avec leur force brute sont les représentants d'une humanité agressive et violente. Et ceux qui devraient être les défenseurs du droit et de la justice (divine), – les grand-prêtres, le roi et le gouverneur de l'empereur – montrent leur côté lâche et destructeur. La violence et l'agressivité semblent inhérentes à la condition humaine ; et même les paroles de paix et d'amour de Jésus n'ont pas eu suffisamment d'influence pour que les chrétiens aient voulu (ou pu) vivre sans cette violence.

Régulièrement nous trouvons dans les textes du NT des références aux Juifs en général et aux Pharisiens et

Sadducéens en particulier, qui y sont décrits comme des personnes désagréables, violentes et hypocrites (voir par exemple Mt 23). Voici une description partielle de la réalité entre Jésus et ces différents groupes de Juifs, mais aussi un reflet plus tardif de la situation tendue – au temps de l'écriture des évangiles – entre Juifs restés dans la synagogue et ceux convertis au christianisme. Les évangélistes vivant à l'époque des problèmes entre la jeune église et le judaïsme, ont parfois tendance à représenter les Juifs comme des bêtes noires s'opposant à Jésus et son nouveau message libérateur. Par exemple, l'évangéliste Marc accentue le fait que les Pharisiens veulent tuer Jésus dès le début de sa vie publique (Mc 3,6 ; et quelques temps plus tard Mc 11, 18). Mais le point culminant de cette opposition est sans doute un texte qui a eu des conséquences terribles dans l'histoire de la relation entre les chrétiens et les Juifs : « Que son [de Jésus] sang soit sur nous et sur nos enfants » (Mt 27,25). Ici la foule qui a participé à la condamnation de Jésus, semble en accepter la responsabilité, alors que l'homme qui a jugé, Pilate, refuse de le faire. Il est indéniable que les Juifs, à la fin de sa vie surtout, ont contribué à la condamnation à mort de Jésus d'une telle façon qu'on peut parler de violence spirituelle, alors que la violence physique a été commise par les Romains. Cependant, il faut aussi constater que la plupart des confrontations entre les Juifs et Jésus a été pacifique et parfaitement appropriée à la manière dont les gens de religion se comportaient vis-à-vis d'un représentant d'une autre opinion. Impossible même de parler de violence spirituelle ; au maximum s'agissait-il d'une non-acceptation réfléchie des idées théologiques de Jésus par les Juifs. Que ceux-ci ne se montraient que violents envers Jésus me semble caricatural et donc à nuancer.

Le point le plus important, qui concerne le NT et la prédication de Jésus, pour le lecteur moderne est : Que dit Jésus de la violence humaine ? Était-il pacifiste ou zélote ? Depuis 2000 ans les croyants essaient de répondre à cette question. En lisant le sermon sur la montagne (Mt 5-7) et surtout les béatitudes (Mt 5, 1-12), nous pouvons constater que Jésus s'est déterminé pour les pauvres et les faibles, pour les pacifiques et les victimes de toutes sortes de violence : les pauvres en esprit (ceux qui sont dépendants de l'aide de Dieu), les doux, les affligés, les affamés et assoiffés de justice (nous retrouvons ici un ancien motif prophétique), les miséricordieux, les cœurs purs, les artisans de paix, et les persécutés pour la justice. Jésus annonce la fin des violences physiques et morales et aux différentes victimes le bonheur.

Dans sa pratique quotidienne, nous pouvons retrouver cette attitude en Jésus. À la fin de sa vie, lorsqu'un des disciples prend son glaive et tranche l'oreille d'un serviteur du Grand Prêtre, dans le jardin de Gethsémani, Jésus lui dit : « Rengaine ton glaive ; car tous ceux qui prennent le glaive périront par le glaive » (Mt 26, 52). On peut remarquer dans ce texte les différentes conceptions de Jésus : Il rejette la violence humaine, car elle mène à la destruction. Car pour lui c'est seulement Dieu qui peut intervenir par la force ; en ajoutant qu'il renonce ainsi à une telle intervention des armées célestes. Nous pouvons voir ici la réaction non violente de Jésus aux actes agressifs d'autrui, même si ceci implique la souffrance et éventuellement la mort. Ce que nous appelons la résistance passive de Jésus à la haine, son rejet des armes et de la destruction humaine. En parlant et en se comportant de cette manière simple, Jésus a inspiré jusqu'à nos jours les protagonistes de la non-violence et de la résistance passive. Il me semble qu'ils s'en rapportent avec raison à lui.

Mais un récit pourrait, tout de même, nous faire hésiter sur la non-violence de Jésus. Comment pouvons-nous expliquer son comportement lorsqu'il a chassé les vendeurs de l'esplanade du temple à Jérusalem (Mt 21,12-13 ; // Mc 11, 15-17 ; // Lc 19, 45-48 ; // Jn 2, 13-17). Le récit détaillé par l'évangéliste Jean est surtout choquant, quand il explique que Jésus se fabrique un fouet de cordes pour chasser marchands et usuriers du temple, tandis que les trois autres évangélistes ne parlent que de renverser les tables et les sièges. Ici on ne peut nier que Jésus se sert de la violence pour purifier le temple. Il n'y a pas de doute qu'il était en colère et qu'il a fabriqué et utilisé un outil (une arme) pour réaliser son projet de nettoyage. Ses actions semblent démentir ses paroles précédentes. Il me semble qu'il soit impossible d'expliquer ce texte de telle façon que ces actes se retrouvent en harmonie avec la non-violence de la prédication de Jésus. Il faut quand même noter que dans les trois évangiles synoptiques (Mt, Mc et Lc) Jésus ne culbute que les tables et les chaises – pas si gentil, mais pas trop violent non plus – et que le fouet n'est trouvé que dans l'évangile de Jean. Cet évangile, écrit une vingtaine d'années après celui de Marc, reflète peut-être une époque d'opposition plus véhémente entre chrétiens et Juifs où les narrations deviennent aussi plus agressives.

De toutes manières, on peut dire qu'en nettoyant le temple Jésus défie les autorités de ce lieu de culte et la violence spirituelle dont ils se servent en imposant toutes sortes de règles aux gens simples. Peut-être pouvons-nous même constater que l'autorité du temple, comme le lieu sacré et liturgique, et endroit de sacrifices nombreux, est relativisée par cet acte de Jésus, qui veut imposer à ses contemporains sa conviction que le temple est par excellence la place de toute l'humanité pour adresser sa prière à Dieu. Donc pas d'exclusivité de ce temple pour les Juifs, toutes les nations y ont leur maison de prière. Jésus s'oppose à la violence spirituelle, dans son temps, car elle détruit les intentions divines de paix pour tout le monde.

L'origine de la violence selon la Bible

La Bible elle-même est assez claire lorsqu'elle parle des origines de la violence humaine. Elle est en l'homme dès sa naissance : déjà la deuxième génération, laquelle n'est pas créée mais résulte du premier homme et la première femme, se montre meurtrière. Le fils d'Adam et Ève, Caïn tue son frère Abel (Gn 4). Donc aussitôt que les hommes se multiplient, ils deviennent un danger pour autrui. L'agressivité et la volonté de détruire l'autre semblent ainsi intrinsèques. Cette pensée est remarquablement reprise par la psychiatrie postfreudienne. Dans le récit du premier acte de violence, le meurtre d'Abel, la Bible indique déjà qu'il n'y a pas de raison profonde pour Caïn de commettre cet acte. Des émotions simples, comme la jalousie, ou une incompréhension des intentions divines suffisent. L'homme agressif et violent est démasqué comme un être stupide qui se laisse aller, qui ne réfléchit pas, qui n'a pas de contrôle sur ses émotions.

Dès le début de l'humanité, l'homme ne sait vraisemblablement pas qu'il a une responsabilité dans la vie de l'autre. Ce n'est pas innocent si Dieu demande à Caïn : « Où est ton frère ? » et que celui-ci réponde : « Suis-je le gardien de mon frère ? » (Gn 4, 8). Caïn ne ressent pas cette responsabilité envers son frère ; il me semble que la Bible veut nous dire ceci : si l'homme ne se sent pas responsable envers son frère, la responsabilité et l'humanité se perdent. L'homme est créé à l'image de Dieu, ceci devrait impliquer : vivre comme Dieu en relation avec autrui, être lié à l'autre, l'aider, l'accompagner, l'instruire et l'aimer. Comme Dieu a vu qu'il n'était pas bon que le premier homme soit seul, Il lui donne une partenaire, une compagne, avec qui il peut découvrir le monde et peut partager sa vie, sa maison, son travail, ses moyens d'existence et son avenir. Avec pour conséquences, que l'homme se sent responsable de cette personne, partage les bonnes choses avec elle, mais aussi les soins et les douleurs. Dès le début cependant, il y a une sorte de tension entre les humains : après avoir mangé de « l'arbre de la connaissance du bonheur et du malheur » (Gn 3), ils se couvrent les organes sexuels et l'un, Adam, dénonce l'autre, Ève, comme responsable de la violation de l'interdiction de Dieu. Puis, l'étape suivante est le meurtre du frère, par lequel la distance entre les êtres humains est définitivement créée. Dès lors la violence fait irrémédiablement partie de la vie humaine. Et tout au long de la Bible, Dieu et ses représentants font l'effort de combler cette distance entre humains et de leur enseigner à vivre en paix avec les autres.

Dans le récit de l'alliance de Dieu avec Noé (Gn 9, 5-6) nous lisons l'opposition divine de verser plus de sang des animaux que nécessaire pour la nourriture. De la même façon l'homme ne reste pas innocent ou impuni, quand il se sert de la violence qui attente à la vie ; dans ce texte le « sang » est en fait synonyme de la « vie ». Dieu veille au respect de la vie. La première étape de la codification d'une réaction acceptée à la violence est ainsi la loi du talion *(ius talionis)*, connue partout dans l'Orient ancien. Donc pas de violence illimitée, la vengeance ne dépasse pas l'offense et plus loin dans la Bible, les réactions seront même encore plus restreintes pour aboutir dans le NT par son remplacement par le pardon.

En résumé, selon la Bible la violence a son origine dans le premier meurtre, par Caïn, et se retrouve partout dans les deux Testaments où les hommes se présentent comme des êtres violents. La nature peut être également violente à l'égard des hommes. En général dans l'AT l'utilisation de la violence, par Dieu, ou par le peuple israélite, est mentionnée de façon plus neutre. Mais on discerne une tendance pacifique lorsque les sacrifices dans le temple à Jérusalem, surtout ceux de Iom Kippur (le jour des propitiations, également appelé le Jour du Grand Pardon) pour exprimer la réconciliation entre Dieu et son peuple, remplacent les échanges physiques violents. La foi et la prière, la liturgie avec ses gestes deviennent l'expression d'un rapport pacifique entre Dieu et hommes.

Et dans le NT, on peut constater que Paul considère l'utilisation de la violence comme légitime quand le pouvoir civil est concerné (voir Rm 13, 1-7). D'autre part Dieu s'impose la maîtrise en matière de violence pour des raisons d'amour pour les membres de son peuple (Os 11, 8 s.). Jésus incite ses élèves de remplacer la violence par l'amour pour les ennemis. Le NT établit que l'intervention et la résistance normatives pour les chrétiens sont principalement non violentes. Il faut aller plus loin sur cette route pour accomplir ce que Jésus a vécu lors de sa vie sur terre et avec la volonté de ne pas résister à la violence qui lui était infligée. De toute façon nous pouvons déterminer l'intention des auteurs bibliques et des *dramatis personae* de la Bible à changer l'attitude des croyants en les rendant plus ouverts à la non-violence et à l'amour fraternel. Et l'apôtre Paul donne l'exemple en voyant sa souffrance personnelle comme un chemin à suivre le Christ. Il dit qu'il souffre pour les autres chrétiens et en faveur de l'Église, et qu'il y trouve sa joie (Col 1, 24 s.). Or, la souffrance fait partie de la vie d'un croyant, qui l'accepte volontiers.

LA GUERRE

En lisant les soi-disant livres historiques de la Bible, nous découvrons régulièrement des récits dans lesquels guerres, combats, luttes et affrontements militaires entre différents individus, groupes ou nations sont décrits. On y trouve des narrations où le côté agressif envers d'autres humains est fortement mis en évidence. Un jour quelqu'un a dit avec raison : « La Bible semble parfois juste une démonstration de la réalité quotidienne de l'humanité », surtout quand ces livres historiques sont placés à côté des messages quotidiens dans les journaux, à la radio, à la télévision ou encore sur Internet. Tous sont remplis de tentatives réussies ou échouées d'un homme ou d'un groupe de personnes contre un autre, de vivre leur vie au sens le plus littéral possible. De plus, les époques de l'Histoire sont parfois classées avec les guerres comme points de repère ; ainsi dit-on d'un événement qu'il a eu lieu avant la Première Guerre mondiale ou après la Seconde. L'historiographie se construit souvent d'un conflit (inter)national à l'autre.

Donc en ce sens la Bible ne nous décrit rien d'autre que notre situation actuelle. Mais pour beaucoup de lecteurs les histoires de l'AT sont souvent désagréables d'une part en raison de leur violence, et d'autre part notamment à cause du lien entre les guerres et Dieu. Les histoires de violence collective, de meurtre et d'homicide dans la Bible sont troublantes pour de nombreux croyants, d'autant plus lorsqu'ils la considèrent comme un livre très particulier, même sacré. Pour eux la Bible est la Parole de Dieu. C'est Lui qui s'adresse à eux à travers les textes de ce livre. Les lecteurs de la Bible et surtout du NT ont fait connaître Dieu comme le Dieu d'amour, de bien-être, du salut et de réconciliation, mais l'AT trouble cette image de Dieu, impliqué dans les actes violents de son peuple. Cela peut engendrer la confusion chez les croyants. Elle est encore augmentée par la situation actuelle ; en effet, de nombreuses personnes, croyantes ou non croyantes, considèrent la religion et surtout les religions monothéistes, l'islam, le judaïsme et le christianisme, comme une source importante de violences et d'agression entre peuples, groupes et individus. Comment alors peut-on comprendre le livre à partir duquel repose la foi chrétienne, la Bible, si elle-même contient autant d'ambiguïté à propos de la violence humaine et divine ? Après tout, les histoires de la Bible semblent être évidentes sur ce point et le Dieu du christianisme parait parfois être décrit comme violent.

Le mot par excellence qui exprime la violence humaine est le mot « guerre » ; la confrontation entre deux groupes, tribus, ou nations. Parfois on parle même d'une guerre entre deux personnes, par exemple dans un couple marié. Dans la Bible les guerres ont en général lieu entre deux groupes, représentants tribus, armées des nations, parfois alliées. Le mot en hébreu *MiLHaMa* = guerre et la racine *LHM* = faire la guerre se trouve dans l'AT environ 320 fois, ce qui indique déjà sa large présence dans les textes ; évidemment la plupart des occurrences se trouvent dans les livres dits historiques, Josué, Juges, Samuël, Rois et Chroniques, mais aussi dans les livres d'Esaïe et de Jérémie. Et à cause de la législation relative aux guerres nous trouvons ce mot régulièrement dans le Deutéronome.

On comprend aisément que les guerres constituent une partie importante de l'historiographie du peuple israélite, bien qu'il faille éviter l'idée que la Bible est un livre d'histoire dans le sens moderne. La Bible contient de la littérature tendancieuse ; elle a été écrite avec un but, une intention et un message pour le lecteur. Et à travers le temps ce message a changé comme les textes ont été changés jusqu'à leur fixation finale. Nous connaissons aussi cette manière d'adapter l'histoire des époques récentes en Europe, lorsqu'un nouveau gouvernement (en général dictatorial) se présentait, l'histoire de la nation se réécrivait. Il est tout de même indéniable que les actions militaires, les combats entre tribus, les guerres, ont régulièrement eu lieu dans l'histoire israélite.

La particularité de ces récits bibliques, mais aussi de la législation et des paroles prophétiques, est que Dieu est impliqué dans ces batailles. Parfois comme sauveur spirituel de son peuple, parfois comme celui qui envoie un ennemi pour punir son peuple, et parfois pour intervenir contre les ennemis de son peuple. Il n'est pas exceptionnel dans la littérature du Moyen-Orient qu'un dieu joue un rôle d'importance dans les histoires des peuples. En fait, après la conquête d'une ville ou d'un territoire, le dieu du vainqueur devenait presque automatiquement le dieu des vaincus car on attribuait la victoire au dieu du peuple glorieux.

Dans l'AT nous connaissons trois types de guerres : entre les tribus d'Israël (par exemple, la punition de la tribu de Benjamin en Juges 20), entre groupes d'opposants dans le royaume (par exemple, David qui se bat avec son groupe de révoltés contre le pouvoir publique légitime du roi Saül dans 1 Samuel), et entre les armées de différentes nations (pendant l'époque royale entre les royaumes du sud et du nord, Juda et Israël ; et entre eux et les nations voisines). Parfois la réalisation d'actes guerriers avait un effet inattendu, par exemple chez David, qui, selon l'auteur de Chroniques (1 Chr 22, 8) ne pouvait pas bâtir un temple à Jérusalem car, selon la parole divine, « Tu as répandu beaucoup de sang et tu as fait de grandes guerres. Tu ne construiras pas de Maison pour mon nom, car tu as répandu beaucoup de sang sur la terre devant moi. » C'est un premier indice appuyant le fait que, plus tard dans l'histoire d'Israël, la violence guerrière n'est pas partout acceptée dans la Bible et parmi ses auteurs-théologiens.

Il n'est pas évident qu'il y ait eu des restrictions dans le comportement. Ainsi une loi de guerre comparable aux Conventions de Genève (des traités fondamentaux dans le domaine du droit international humanitaire qui définissent des règles de protection des personnes en cas de conflit armé) n'existait pas. La violence guerrière avec ses résultats meurtriers était en quelque sorte acceptée. Dans les conceptions théologiques de la Bible la guerre n'est pas appréciée, mais considérée comme un instrument de la politique de la force. Dans les lois de guerre, comme nous les trouvons dans Nb 10,9 ; Dt 20, 1-7 en 20 ; 21,10 (*cf.* 7, 20-29) ; et 2 Ch 20, il n'y a pas de restrictions au comportement pendant les batailles. Par exemple en Nb 10, 9 nous lisons : « Quand, dans votre pays, vous partirez en guerre contre l'ennemi qui vous harcèle, vous ferez donner par ces trompettes un signal modulé. De la sorte, vous vous rappellerez à l'attention du Seigneur, votre Dieu, et vous serez délivrés de vos ennemis. » Nous remarquons deux faits : le texte parle de l'ennemi qui harcèle le peuple dans son pays et de celui-ci qui doit faire appel à Dieu pour en être libéré. Même pour une grande armée il ne faut pas avoir peur : « Car c'est le Seigneur votre Dieu qui marche avec vous, afin de combattre pour vous vos ennemis, pour venir à votre secours » (Dt 20, 4). On parle toujours de l'aide de Dieu dans le combat. Mais la suggestion que les êtres humains ne participeront pas à la bataille est infondée car, dans la législation vétérotestamentaire, on veut éviter en temps de guerre la mort de celui qui construit une maison, du vigneron ou du fiancé (Dt 20, 5-7).

Par contre, selon le droit guerrier israélite la guerre contre une ville étrangère ne commence qu'après une tentative de paix (Dt 20,10) ; si la ville ne l'accepte pas, la bataille peut commencer. Mais il faut dire que les conditions d'une telle offre sont tellement sévères, que probablement peu de villes sont prêtes d'accepter cette paix. Un élément particulier en est la législation concernant une prisonnière de guerre qu'un Israélite peut prendre comme femme : on n'a pas le droit de la considérer comme esclave, elle s'adaptera aux coutumes esthétiques et sociales d'Israël, mais en cas de séparation elle restera libre. D'un même genre social sont les règles concernant l'appel sélectif pour le service militaire actif des groupes de membres du peuple israélite, ou la possibilité d'épargner des villes entières après leur conquête, ou après une victoire sur un peuple ennemi de laisser en vie leurs femmes, leurs enfants et leurs bêtes, et de ne pas détruire les arbres fruitiers. Ici nous pouvons difficilement parler d'une réglementation d'origine humanitaire, car le but est surtout pratique et économique. Différent des autres nations situées autour de la Méditerranée, le peuple israélite ne connaît pas, selon l'AT, le développement de la vertu masculine dans les actes militaires. Car dans les guerres on trouve beaucoup de violence (voir Dt 20), non approuvée, mais plutôt jugée comme négative (voir Gn 6, 12 s.).

Dans la législation deutéronomique concernant les guerres, se révèle déjà la tendance à tourner le langage guerrier, neutre, vers un langage théologique. Les textes en réfèrent aux actes libérateurs face aux ennemis du peuple, aux nations étrangères. Comme Dt 7, 20-29 le dit, il faut avoir confiance en Dieu qui apportera la destruction des peuples païens, parfois autochtones dans les régions conquises, avec un accent particulier sur l'éradication de leurs activités apostates. Après les traditions de la théologie deutéronomique, qui eurent leur apogée entre 700 avant notre ère et la chute de Jérusalem en 587, nous constatons chez les prophètes le développement d'idées eschatologiques (globalement dit : des attentes orientées sur l'avenir – la fin des temps – et l'intervention divine). Ils attendent que Dieu lui-même intervienne, en se battant pour son peuple élu (Israël), et qu'Il détruise les armes. Cette pensée a été globalement acceptée par les prophètes et les théologiens après eux, elle est devenue la base des pensées de la paix durable.

Nous pouvons constater que pratiquement toutes les histoires dans lesquelles Dieu est impliqué dans la violence et la guerre se trouvent dans l'AT. Parmi les lecteurs et les exégètes, certains essaient de parler d'une évolution dans la pensée biblique en ce qui concerne ces thèmes. Dans une brochure publiée en 2003 aux Pays-Bas par Kerk en

Vrede (= Église et Paix ; une organisation qui travaille sur ces thèmes depuis la Seconde Guerre mondiale), on ne présente pas moins de six interprétations des textes violents dans la Bible : 1. La légitimation de la violence. 2. La séparation du Dieu de l'AT de celui du NT ; et faisant ceci on supprime de fait les textes violents pour la foi. 3. L'explication allégorique des textes violents ; ils concernent la lutte dans l'âme. 4. On considère les paroles violentes comme un stade dépassé dans un processus historico-évolutionnaire : à travers le temps, on discerne une diminution de la légitimité de la violence. 5. Un mode de lecture : la violence apocalyptique révèle que la fin des temps est proche. 6. Il n'y a pas un sens unique dans les histoires violentes ; le sens peut changer à chaque texte ; ceci demande du lecteur une attitude sage et attentive pour les comprendre.

Il est toujours bon que le lecteur traite la Bible avec sagesse, car pour bien la comprendre et pouvoir se servir des différents moyens d'interprétation, on a souvent besoin d'une bonne connaissance de l'histoire ancienne d'Israël et du monde qui l'entoure, de la genèse et l'histoire de l'édition des textes, de leurs différentes méthodes littéraires d'approche. Mais il est clair que les méthodes d'interprétation, comme énumérées ci-dessus, s'occupent surtout du message des textes et ne s'impliquent pas dans le contenu et la structure des narrations, et laissent par conséquent de côté le problème plus profond de la violence dans les textes bibliques. C'est pourquoi il est important d'examiner attentivement les paroles elles-mêmes, leur fonction dans le temps, qu'elles aient été rédigées, éditées ou rééditées et leur sens dans les différentes phases du développement des histoires bibliques, puis d'en interpréter leur contenu et leur message pour les lecteurs d'aujourd'hui. C'est de cette façon que nous allons procéder.

Une manière importante de lecture

Toutefois, avant d'étudier un certain nombre d'histoires dans la Bible, nous devons brièvement présenter quelques résultats de la recherche biblique, qui ont fortement influencé la compréhension du recours à la violence. L'intérêt pour cette notion n'a jamais été aussi grand qu'après la Seconde Guerre mondiale. Peut-être qu'avant cette période, à quelques exemptions près (voir p. 257-259), la violence et la guerre étaient considérées comme plus normales et appartenant à la vie des hommes. L'humanité a toujours connu des guerres et la violence entre les hommes ; et il est imaginable qu'après la Grande Guerre tout le monde pensaient qu'elles étaient dépassées. Le choc de la quasi-destruction du peuple Juif et la quantité inconcevable de victimes de la Seconde Guerre a éprouvé cet optimisme sans fondement. Or, pour des raisons différentes, on a recommencé à lire les histoires bibliques avec des méthodes exégétiques qui, en dehors de quelques milieux universitaires, n'étaient pas encore très connues. On a ainsi contribué à une approche critique de la Bible jusque-là inconnue.

Après la guerre et après la découverte de l'horreur d'Auschwitz, la petite couche de vernis, qu'on peut appeler culture et civilisation humaine, était profondément abîmée l'homme chrétien se devait de réfléchir à ses sources, comme sa foi, sa religion et les textes sacrés afférents. C'est au cours de l'année 1951 qu'un des regards des plus importants sur les guerres dans l'AT est apparue. Dans un livret intitulé *La guerre sainte dans l'ancien Israël*, le fameux exégète de l'AT, Gerhard von Rad, traite le sujet avec précision et subtilité. Il est recommandé au lecteur moderne de prendre en considération l'année de parution. Elle est publiée à Zurich en Suisse et écrite par un allemand. Sans vouloir donner de jugement sur les qualités particulières de son auteur, on peut s'interroger sur la possibilité que cet Allemand érudit, après l'échec de son pays et de sa culture pendant la guerre de 1939-1945, ait cherché à trouver une source à la violence de son temps et de son propre peuple dans les paroles violentes de l'AT. Car la Bible a été sans doute un des livres des plus importants pour la culture allemande. Est-il imaginable que ce grand homme ait eu envie de comprendre la violence véhémente de son époque et même peut-être de trouver un début de justification pour ce qui était arrivé ? Est-il concevable que les idées que Von Rad a élaborées sur la structure de la guerre (sainte) dans les récits dans l'AT, et du Dieu d'Israël qui, selon lui, aurait été une sorte de Dieu de la guerre, l'aient aidé à accepter le traumatisme de l'histoire de son peuple ?

Quoiqu'il en soit, l'influence de ce livret a été grande, car beaucoup d'exégètes et de théologiens – jusqu'à nos jours – ont suivi Von Rad dans sa vision sur l'AT et sur les vieilles images du Dieu d'Israël. Ses réflexions sur la guerre sainte dans l'AT sont ineffaçables de l'exégèse chrétienne et de la théologie (biblique). Par conséquent les cercles académiques et autres parlent sans réticence de la guerre sainte dans l'ancien Israël, ceci implique que le Dieu de la Bible est fortement lié à la violence de la guerre. On affirme toujours que cette soi-disant guerre sainte doit être considérée comme un phénomène très ancien datant des temps prébibliques. Selon certains groupes de savants, le Dieu d'Israël était initialement comme un dieu-guerrier qui, à travers les temps et le développement théologique en Israël, a perdu ces aspects guerriers et violents ; et qui est, par la prédication de Jésus, devenu un Dieu de paix et de justice.

La question est de savoir si cette image d'un point de vue biblique et théologique, n'est pas trop simpliste et donc incorrecte. En outre, il est clair que cette idée évoque de questions encore plus douloureuses comme : Comment accepter un Dieu qui stimule la guerre, ou pire, qui fait la guerre lui-même ? Depuis 1951 dans les cercles académiques plusieurs tentatives ont été faites pour modifier la théorie, et démontrer ses points faibles, ou pour montrer qu'elle était entièrement fausse. Malheureusement tous ces efforts n'ont pas obtenu autant d'influence que la publication originale de ce célèbre, et à juste titre, exégète et théologien.

Il faut noter encore une autre chose, à savoir la fascination humaine générale pour la violence liée à Dieu, qui compte encore jusqu'à nos jours. Dieu qui se bat pour l'homme et l'accompagne dans la bataille ; sur les boucles des ceinturons des soldats il n'était pas écrit pour rien « Gott mit uns », « Dieu avec nous ». Savoir qu'on est sous une protection divine pendant la guerre et que ce dieu va nous donner la gloire est apprécié par beaucoup de combattants. Parfois les armées de deux côtés se savaient protégées par la présence du même dieu. Sur ce point, les Églises n'ont pas toujours été claires et honnêtes, bien qu'étant les protectrices et diffuseurs des vérités bibliques. Combien de fois n'ont-elles pas béni les armes, ont suivi les autorités civiles et militaires dans les guerres ou ont elles-mêmes encouragé les gouvernements à se battre contre un tel ou tel ennemi ?

D'autres déclinent jusqu'à nos jours le thème de la guerre sainte : le droit d'être en mesure de mener une guerre sainte. Donc, il y a quelques années, quelques rabbins ont dénommé le combat de l'actuel État d'Israël contre la bande de Gaza une « guerre sainte ». À part de ceci, nous connaissons de nos jours l'idée des guerres dites légitimes ou justes. Cette pensée est présentée par le Père de l'Église Augustin, qui y a formulé quatre conditions strictes, auxquelles une telle guerre devait répondre : la guerre est menée d'une manière humaine, par un gouvernement légitime, pour défendre une cause juste, et le but (la paix) et les moyens (le recours à la force) doivent être chacun envisagé dans une proportion égale et avec une probabilité de succès. Le contexte biblique et théologique de la théorie de la guerre juste et légitime joue toujours un rôle dans la façon dont beaucoup d'Églises et de croyants pensent les interventions militaires. L'interprétation des histoires de la Bible, avec ses guerres, influence encore aujourd'huila réalité quotidienne de nombreuses personnes.

La Bible est un livre qui contient des souvenirs, des idées religieuses élaborées ou in nuce, des aspirations personnelles et des attentes des hommes ; qui sont tous liés à la Personne de Dieu. Ce qui veut dire que l'écriture sainte est un reflet d'émotions, de croyances, ou d'idéologies humaines ; et dans ces textes nous remarquons beaucoup de récits comportant violence et guerres. Lorsque nous voulons découvrir une valeur importante dans ces histoires guerrières, il nous est nécessaire d'appréhender les intentions de leurs auteurs. Car, il est évident que nous percevons dans les textes narratifs de l'AT un mélange de ce que nous appelons, pour des raisons pratiques, des faits historiques, des pensées colorées idéologiques et théologiques et toutes sortes de récits mythiques. C'est ainsi que différentes formes littéraires et théologiques se présentent au lecteur des livres de la Bible qui ne les distingue pas facilement. En outre, la compréhension de la Bible dépend aussi de la façon dont le lecteur la considère. En d'autres termes : si une personne prend les textes bibliques littéralement, leur contenu est toujours utilisable comme source historique, mais si quelqu'un essaie de lire les récits dans leur contexte culturel, littéraire et idéologique, ils ont parfois un sens différent. Qui n'est pas toujours celui qui apparaît à première vue. Un facteur de complication se révèle être l'intention du lecteur avec sa lecture de la Bible. Après tout, s'il cherche dans les textes une explication, une clarification ou une instruction pour l'homme moderne, la Bible lui donne un résultat différent que si l'on pose la question : « Que dirait la Bible dans une telle situation ? »

Que penser de ce genre de textes ?

Dans mes études antérieures[1], j'ai essayé de montrer que certains phénomènes concernant les guerres en Israël appartiennent aux très vieilles couches de l'AT, mais que la soi-disant terminologie de la guerre sainte dans son vaste élaboration, comme elle se présente dans les textes bibliques, est un développement littéraire et théologique tardif – à dater pendant et après l'exil babylonien (donc après 587 avant J.-C.). La date de fixation de ces histoires guerrières, où Dieu est impliqué, dépend beaucoup de l'intention de ces récits ; parce qu'il faut constater que les textes bibliques en général ne sont pas fait pour divertir les lecteurs, ni pour donner une description historique ou théologique du passé. La principale raison pour fixer ces histoires guerrières, était la nécessité d'une prédication encourageante dans une situation tragique du peuple (l'exil). Il est très important de se souvenir de cette donnée, car elle nous ouvre la porte à une possible explication de ces textes complexes sur la violence divine et humaine, pour les lecteurs du XXIe siècle.

Il est indéniable qu'à l'origine de l'histoire du peuple israélite, beaucoup de batailles, de guerres, de violences ont eu lieu – et dans ce sens l'histoire de ce peuple n'est pas différente de celle de beaucoup de nations –, mais donner une signification religieuse à ces événements est à mon avis un développement tardif, apparu dans un moment où le peuple n'avait plus de territoire, ni de gouvernement indépendant, ni d'armée. En fait les Israélites étaient des esclaves des Babyloniens. Donc pourquoi raconter des histoires du grand passé de la nation israélite, si en réalité elle n'existait plus ? Peut-on dire que le peuple en détresse avait besoin de réconfort et d'inspiration pour survivre à l'exil et que la prédication d'un passé glorieux l'aidait à se reconstruire spirituellement et socialement ? En exprimant que, avec l'aide de Dieu, le peuple avait été glorieux dans des circonstances les plus improbables, les exilés réapprenaient à espérer en leur avenir. Et en croyant que Dieu se battrait à leurs côtés, comme Il l'avait fait pendant les grandes guerres dans l'histoire, ils pouvaient attendre leur libération et la fin de l'exil. Mais pas à cause de leur grande puissance, car ils ne l'avaient pas, mais à cause d'une intervention divine d'ordre surnaturel.

Quelques récits

Il est impossible dans le cadre d'un seul livre de présenter et traiter toutes les histoires de guerre dans l'AT, mais une série d'illustrations est présentée ici pour indiquer quelles lignes de développement littéraires et théologiques sont à trouver et en tirer des conclusions, qui sont probablement applicables à beaucoup d'autres histoires. Car nous pouvons montrer pour un certain nombre de récits comment ils se sont développés dans l'histoire, qui a conduit à l'actuel texte de la Bible. Dans mon livre de 1990, j'ai analysé quelques récits guerriers, c'est-à-dire : Exode 13-15 et 17 ; Josué 10, Juges 4-5 et plusieurs chapitres de 1 et 2 Samuel. Une analyse détaillée de ces narrations sur le plan de la critique littéraire, qui ne sera pas répétée ici, a donné des résultats probants. Nous avons pu déterminer trois à quatre couches de rédaction dans ces textes, qui appartiennent à de différentes périodes historiques du peuple Israélite. Chaque couche de rédaction avait un but en soi et a fonctionné dans un contexte politique ou religieux particulier. Le noyau ancien de ces narrations était une description simple d'une confrontation entre deux groupes de combattants. Normalement ce noyau existait en deux points culminant narratifs précédés par une introduction et suivis d'un épilogue. Ce schéma narratif ne se retrouve pas partout, mais il est quand même largement répandu. Le noyau, le récit ancien, était augmenté successivement par les rédacteurs avec des ajouts spécifiques à leur époque. Donc une narration primitive était élaborée et remaniée à travers le temps pour fonctionner dans la prédication ou la description « historique » du peuple.

En étudiant ces récits, nous étions frappés par le fait que la Personne de Dieu n'apparaît dans les narrations que dans l'ultime couche de rédaction, celle qui a donné la dernière version de la Bible. Dieu, comme *dramatis persona* dans les batailles, les affrontements militaires ou les guerres, ne fait partie de ces textes que dans la version ultime des récits, remaniés dans l'époque de l'exil ou après. Dieu y est impliqué au double sens du terme : les auteurs et rédacteurs de la Bible ont ajouté le nom de Dieu aux histoires et Dieu a obtenu un rôle actif dans la lutte racontée, qui, dans un stade précédent, ne concernait que des êtres humains. Et ce d'une telle façon que Dieu était devenu la figure centrale et active dans les narrations. La confrontation entre personnes humaines est devenue, par cet ajout des rédacteurs qui était déjà en soi une interprétation théologique des « histoires » une confrontation entre Dieu et les ennemis de son peuple ou d'une personne (comme, par exemple, David) qui pouvait compter sur le soutien et l'attention de Dieu.

Exode 13-15

Comme premier exemple, nous lisons l'histoire célèbre de la traversée de la mer Rouge par le peuple israélite, en Exode 13 et 14 (suivi par le cantique de Moïse au chapitre 15). Ce récit du passage de la mer repose sur deux données, qui composent ensemble un vieux noyau de narration : 1. Le peuple israélite traqué par le pharaon et son armée ; et 2. le peuple israélite échappe au pouvoir du Pharaon en parcourant la mer. Le noyau ancien connaît, comme beaucoup d'autres narrations anciennes deux moments principaux, une introduction et un épilogue. Dans ce schéma les deux thèmes importants du récit, la menace et le salut, sont intégrés. Au fil du temps, ce noyau ancien a été régulièrement remanié et adapté à la situation politique ou religieuse contemporaine du pays et du peuple. Il est ainsi clair que l'historiographie a servi à un usage particulier : on a mis à jour les histoires afin de les réutiliser dans une nouvelle situation sociale, politique ou religieuse. Et ces textes remaniés ont servi une fois pour expliquer une situation particulière dans laquelle le peuple se trouvait, une autre fois pour une mise en garde du peuple, ou une autre fois encore pour donner un certain sens aux lois divines ou à la foi en Dieu. Ainsi, au fil des siècles le récit est incorporé dans des narrations plus grandes pour ensuite faire partie d'une épopée nationale. Ceci se fait à l'époque où tous les Israélites se retrouvent sous une seule autorité politique et religieuse après la chute de la ville de Samarie et du Royaume du Nord (vers 722 avant notre ère). Cette épopée devient ainsi l'arrière-fond et la base d'une nouvelle conscience nationale.

Plus tard encore, au temps de l'exil babylonien – et ce fait est crucial pour cette étude –, le récit est devenu une sorte de prédication. Le sauvetage bénéfique de l'oppression des Égyptiens par la traversée miraculeuse de la mer dans le passé, est devenu un appel au peuple qui se trouvait dans une situation aussi désespérée que ceux, acculés à la mer, chassés et poursuivis par les Égyptiens. Le message du récit-prédication annonce qu'eux aussi seront sauvés par une intervention active de Dieu. En quelque sorte, le peuple opprimé en exil à Babylone est exhorté à suivre le même chemin que leurs ancêtres et d'attendre l'aide de Dieu et donc de poursuivre leur espérance de la terre promise et de se préparer au retour à leur pays d'origine. On pourrait dire que la traversée de la région désertique entre Babylone et la Palestine est comparable à la marche à travers la mer, qui se trouvait également entre le peuple et la terre promise.

L'acte divin salvateur consiste en un « simple » souffle sur l'eau pour permettre aux Israélites persécutés de se sauver en passant à pieds secs et en laissant l'eau regagner sa place au bon moment pour protéger les Israélites en empêchant leurs ennemis, les Égyptiens poursuivants, de les rejoindre. En actualisant ce vieux récit les prédicateurs-théologiens à Babel, en exil avec leurs compatriotes, leur ont raconté : c'est de la même façon que Dieu agira pour vous qui êtes loin de votre propre pays et qui vivez en détresse sous les tribulations de la vie. Dieu lui-même ouvrira un chemin à suivre pour retourner à votre terre promise. Cette image nous la retrouvons chez le prophète Deutero-Esaïe (Es 40-54) particulièrement dans le chapitre 40.

C'est ainsi que nous pouvons lire dans ce récit la proclamation d'un acte de Dieu pour le bien de son peuple et non pas une description d'un combat tout court. Ce qui implique que les autres (les Égyptiens) sont moins importants ; qu'ils aient péri dans l'eau n'est pas pour autant pertinent, car la prédication ne les concerne pas. Donc la question parmi les croyants de notre temps de ce qui s'est passé avec ces « pauvres Égyptiens » n'est qu'une question moderne basée sur notre propre perception de l'histoire ; en la posant, c'est nous qui faisons de ce récit un texte historique. Si nous le lisons sous l'angle de la prédication, ce que le texte dans sa forme actuelle est, le thème central est celui de la libération des croyants en difficultés. Parce que mentionner l'ennemi actuel, responsable des problèmes du peuple opprimé, était beaucoup trop dangereux le texte de la prédication réfère à un oppresseur du passé, qui n'existe plus ; dans ce cas les Égyptiens. Dans cette consolation le prédicateur mentionne en fait un ennemi essentiellement indéfini, duquel le peuple sera libéré par la puissance de Dieu. Comme à la mer Rouge, où le peuple israélite se trouvait dans état déplorable, ici à Babylone la situation sociale, religieuse et politique des Israélites était désespérée. La nation, ou ce qui en restait, vivait nourrie spirituellement par des prophètes qui se contredisaient, elle avait une élite sans pouvoir et sans mérite, et une famille royale emprisonnée. L'armée battue avait disparue et le temple de Jérusalem, centre religieux, avait été démoli. Théologiquement, spirituellement, socialement et religieusement régnait une confusion totale. La raison d'être de la nation, de la ville sainte et de son centre religieux était discutable, et pouvait même être remis en cause. À Babylone on rencontre donc un peuple en grand besoin de renouvellement sur tous les terrains. Le but et l'utilisation de cette narration dans sa forme actuelle est donc la communication et la prédication de la bonté divine : « Autrefois dans une situation aussi désespérée qu'aujourd'hui, Dieu est intervenu pour vous aider, vous qui êtes son peuple. Vous devez vous souvenir comment Israël était dans la confusion devant ses ennemis ; comment il était à l'agonie, divisé profondément par le doute et la peur (certains membres du peuple voulaient revenir à l'esclavage et son chef, lui aussi, ne savait plus comment avancer), il voyait la mort de tous les côtés : dans le dos Pharaon et les siens et devant lui la mer comme une barrière infranchissable. La mort venait de tous les côtés ; et voilà Dieu qui vous sauve en vous emmenant vers l'eau mortelle pour en revenir vivants et vous mettre en route pour la terre promise. Dieu fera la même chose ici dans votre situation douloureuse ; Il vous libera de la mort de l'exil [à Babylone], vous fera traverser le désert (= la mort) et vous retrouverez la terre promise ».

De cette façon l'orientation de l'histoire se déplace, d'historique elle devient actuelle et annonciatrice. Dans la perception des Israélites pendant l'exil babylonien le récit du passage à travers la mer de l'époque de Moïse était sans doute historique, mais ils l'ont compris et lu avec son intention actualisée, dans laquelle Dieu joue le rôle central dans leur libération dans l'avenir. C'est donc sur l'aspect de la théologie de la libération que cette narration ancienne est devenue importante et en quelque sorte utilisable pour eux.

Pour accentuer cette nouvelle fonction théologique et, par conséquent, liturgique du texte, une compilation a été faite avec un texte poétique qui réfère aux mêmes événements historiques, le Cantique de Moïse et des Israélites de l'Exode 15. On pourrait parler d'une sorte d'hymne historique qui dans sa première strophe (les vv. 1b-10) relève les événements et dans une deuxième loue Dieu pour ses actes impressionnants et salvifiques (les vv. 11-13). Mais ici et dans la suite nous découvrons que ce cantique dépasse le récit du passage de la mer dans les deux chapitres précédents. Car le texte dit : « Tu le [peuple] guidas par ta force vers ta sainte demeure ». Sans doute une référence au temple à Jérusalem et donc le reflet d'une situation ultérieure. Et dans la troisième strophe (les vv. 14-18) les ennemis « classiques » d'Israël (les Philistins, les Edomites, les Moabites, les Canaanites) sont impliqués, quand est mentionné qu'ils ont entendu ce qui s'est passé à la mer. La fin de cette strophe réfère de nouveau au temple fondé par le Seigneur. La dernière strophe (le v. 19) reprend le thème historique de la traversée de la mer.

Particulièrement la troisième strophe indique l'élargissement de l'orientation de cet hymne. Par la double référence au temple (les vv. 13 et 17), formulée dans le langage théologique de la fin de l'époque des rois, et par le fait que les ennemis classiques ont été mentionnés, nous sommes portés à croire que cet hymne a été rajouté à la narration et a agi comme exclamation liturgique pour ceux qui ont entendu la prédication des textes prosaïques. L'époque de l'exil, ou après, nous semble possible. Les ennemis mentionnés ne cachent que le vrai ennemi, qu'on n'ose mentionner.

Josué 10

Une histoire de guerre spectaculaire, comprenant trois actes : 1. la lutte à Gabaon entre Josué et les cinq rois (Jos 10, 1-27 ; avec l'intermezzo du soleil et de la lune qui s'arrêtèrent et s'immobilisèrent dans les versets 12-14) ; 2. L'expédition militaire de Josué contre sept villes (les versets 28-39) ; et 3. Le résumé des victoires (les versets 40-43).

La première partie est divisée en deux noyaux narratifs, qui entourent l'intermezzo : a. Le siège par cinq rois amorites de la ville de Gabaon ; les Gabaonites demandent l'aide de Josué ; il monte depuis Guilgal et par un stratagème il inflige une grande défaite aux rois. b. Les cinq rois se sont cachés dans la grotte à Maqqéda et Josué vient et les met à mort. Cette bataille a à travers le temps été mise sur le même niveau que les combats contre Jéricho et Aï (en Jos 6 et 8) et considérée comme un événement d'importance nationale. On y a ajouté une description d'autres guerres menées contre les villes cananéennes (la deuxième partie). En outre, l'histoire reçoit une nouvelle conclusion, avec le résumé racontant quelles autres villes sont tombées dans les mains de Josué et les Israélites (la troisième partie).

Ce n'est que beaucoup plus tard, pendant l'époque de l'exil babylonien, que ces textes, qui font partie de l'épopée nationale, ont subi des changements majeurs, dans un sens théologique. Dieu est devenu un participant actif dans la lutte : l'orientation du récit a changé de l'histoire des actes humains vers l'intervention divine. Ceci commence déjà avec la proclamation divine au début du récit (v. 8) : « Ne crains pas, car je te les ai livrés ». Puis le texte réadapté raconte (v. 10) : « Le Seigneur les mit en déroute devant Israël » ; pour finir avec (v. 11) « Le Seigneur lança des cieux, contre eux, des grosses pierres ». Avec ces insertions dans la narration de la bataille, le rédacteur transcendait la confrontation purement humaine en un combat de Dieu pour son peuple. Accentué par son commentaire (v. 11) : « Plus nombreux furent ceux qui moururent par les pierres de grêle que ceux que les fils d'Israël tuèrent par l'épée. » C'est-à-dire que les armes de Dieu sont plus efficaces. Ceci est effectivement reconnu par Josué, quand on l'a mit dans bouche (v. 19) : « Car le Seigneur, votre Dieu, vous les a livrés ». L'insertion la plus intrigante dans cette vieille narration demeure l'intermezzo en les versets 12-14, qui raconte que le soleil s'arrêta et la lune s'immobilisa pour allonger le jour pour permettre aux Israélites d'anéantir leurs adversaires. L'intermezzo était peut-être originairement un vieil hymne ou un texte poétique visant à accentuer, dans cette épopée nationale et religieuse, l'implication de Dieu dans la victoire d'Israël. Par son genre littéraire il est en tout cas évident qu'il n'appartenait pas au texte originel.

Le message de ces textes ainsi remaniés et rédigés est pour celui qui se pense faible, à savoir pour un peuple menacé de tous les côtés et qui a peur. Ce n'est pas pour rien que Josué est amené à prononcer (v. 25) : « Ne craignez pas et ne vous effrayez pas. Soyez forts et courageux, car c'est ainsi que le Seigneur traitera tous les ennemis que vous aurez à combattre ». Une phrase dont le contenu semble étrange quand on considère que l'on a juste vaincu ses ennemis et qu'on est en train de tuer leurs rois. Que pourraient encore craindre les chefs de l'armée ? Voici une trace de la prédication de ce texte dans la communauté des croyants, plusieurs siècles plus tard. Ici est exprimé un encouragement, conformément aux textes prophétiques qu'eux aussi commencent avec « n'ayez pas peur ». Dans ce chapitre, la proclamation de l'intervention et l'aide de Dieu sont amplifiées par la mention de la grêle de pierres et l'arrêt du soleil et de la lune. Si nécessaire, on annonce aux lecteurs et auditeurs de ce récit que Dieu engage toute la nature – même en allant contre la loi de la création de jour et nuit – pour sauver son peuple.

Juges 4 et 5

Une histoire très intrigante avec les personnages principaux surprenants : deux femmes, la juge Débora et l'épouse d'Héber le Qénite, Yaël. Nous pensons qu'à travers l'histoire de ce chapitre le rôle de Débora a grandi au détriment du chef de l'armée israélite, Baraq, tandis que celui de Yaël est resté le même. Quand elle reçoit sous sa tente, comme le raconte dans un ancien récit, Sisera, le général de l'armée d'Yavîn, le roi de Canaan, elle le tue en lui enfonçant dans la tempe un piquet de sa tente. Il semble que les auteurs et les rédacteurs de cet ancien récit n'aient pas voulu nier cette flagrante violation de l'hospitalité orientale, et n'ont pas pu l'excuser ou la minimiser. En outre, Dieu n'est nulle part mentionné en relation avec ce fait.

La première partie du récit a été profondément remaniée – la bataille locale entre Baraq et Sisera s'est propagée en une guerre nationale – : la juge Débora est devenue prophétesse, et donne toutes sortes d'instructions militaires, que Dieu lui a fournies. Ainsi, l'attaque en descendant du mont Tabor fut inspirée par Dieu, et l'armée ennemie dirigée par Sisera battue. C'est comme si Dieu joue au jeu d'échecs avec deux armées humaines. L'apogée du contenu modifié de cette histoire, à part de l'intervention de Dieu par Débora, qui parle comme une prophétesse (« ainsi parle le Seigneur »), est Baraq qui force Débora à aller avec lui en tête de l'armée israélite (v. 8) et que Débora, pour sa part, déclare solennellement que Dieu donnera Sisera dans les mains d'une femme (v. 9). Qu'il s'agisse d'elle ou de Yaël reste d'abord indéfini. En fait, le rôle de Baraq dans le déroulement du combat est complètement minimisé et il n'en obtiendra aucun honneur.

Bien que la stratégie de Baraq dans la version ancienne – il descend de la montagne, surprend Sisera et le bat –, reste dans le récit remanié, les rédacteurs ont insisté sur leur idée théologique que c'est Dieu qui lui permet d'obtenir la victoire pour son peuple : il est l'inspirateur de la stratégie (v. 6), Il donne l'ennemi dans les mains de Baraq (v. 7) – puis textuellement modifié en qu'Il le donne dans les mains d'une femme (v. 9) –, et finalement c'est Lui qui met en déroute Sisera (v.15). Par cette façon de traitement et d'édition d'un récit de guerre, il devient évident que les participants humains de ce drame ne sont pas plus que des pièces d'échecs déplacées par Dieu. Le message de la narration actuelle est une incitation au peuple d'Israël en grande détresse, par son propre mauvais comportement envers Dieu, à chercher son aide ; et, évidemment, Dieu viendra à son secours et mènera son peuple à la délivrance du danger et de l'oppression. Quand nous faisons à nouveau un parallèle avec les exilés à Babylone, nous obtenons la situation suivante : les Israélites se trouvent dans cette ville comme punition de Dieu pour leurs transgressions répétées, ils sont menacés dans leur existence par le pouvoir presque omnipotent des Babyloniens ; ensuite ils font appel à Dieu pour les aider. Puis Il les sauvera par ses sages conseils. La narration d'une guerre est devenue une prédication actualisée.

Comme à la relecture de Exode 13 et 14, les rédacteurs ont ajouté au texte en prose le cantique de Débora (Jg 5), probablement parce qu'une relation liturgique entre le récit à dimension historique et le poème existait déjà depuis quelques temps. Il est aisé de comprendre la fonction dans la liturgie des Israélites en exil à Babylone : d'une part la prédication de l'espérance par un prêtre et, de l'autre, la réaction de son audience à ses mots pleins de promesses en entonnant cet hymne de louange. L'hymne avec cet aspect nationaliste (les tribus israélites y sont mentionnées faisant partie de l'armée victorieuse), vise tout de même l'avenir du peuple actuellement en exil (Jg 5, 31) : « Qu'ainsi périssent tous tes ennemis, Seigneur, et que tes amis soient comme le soleil quand il se lève dans sa force ».

1 Samuel 17

Un des récits les plus connus dans la Bible est celui, brièvement dit, de David et Goliath. Ce sont surtout les enfants qui l'aiment quand on leur raconte cette histoire captivante de la confrontation entre ces deux personnages si différents. Lors d'une lecture précise de 1 S 17 la narration dans sa forme actuelle montre tout de même plusieurs tensions littéraires :

a. Le combat entre les Philistins et Israël : Les Philistins se rassemblent (les vv. 1-3) et se font représenter par un champion : au v. 4 avec le nom de Goliath et au v. 16 appelé le Philistin. La confrontation entre Philistins et Israël est de nouveau mentionnée en les vv. 19 et 21, tandis que en v. 23 le champion Goliath est de nouveau présenté. On a l'impression que les informations sont toutes doublées, qu'à un moment on parle d'un combat entre deux armées et, à un autre, d'un combat singulier entre deux champions.

b. Les Israélites ont peur : deux fois mentionné dans les vv. 11 et 24.
c. Le champion Goliath lance un défi à l'armée israélite (en paroles) au v. 23 ; tandis que les Israélites ont peur de lui à cause de son physique (v. 24).
d. La question de Saül à David « De qui es-tu le fils, mon garçon » (v. 58), semble être en conflit avec la donnée que c'est Saül qui a revêtu David de ses propres habits (v. 38). Il faut y voir une disparité entre les vv. 31-39 et 55-58.
e. Les armes avec lesquelles David bat le Philistin : l'épée (v. 39) ou bâton et fronde (v. 40).
f. Les deux manières différentes dont le Philistin est tué : David « frappa le Philistin et le tua. Il n'y avait pas d'épée dans la main de David » (v. 50) et dans le verset suivant (v. 51) nous lisons : « David courut, s'arrêta près du Philistin, lui prit son [de David] épée en la tirant du fourreau et avec il acheva le Philistin et lui trancha la tête ».
g. Au début du chapitre, David fait une visite à ses frères dans le campement de l'armée israélite (vv. 17-20), et à la fin « il mit ses armes dans sa propre tente » (v. 54).
h. La triple présentation de la personne de David aux lecteurs de ces narrations dans les chapitres 1 S 16 et 17 : Berger et oint par Samuel comme roi (1 S 16,

13), musicien pour adoucir Saül grâce à sa cithare et devenant en même temps l'écuyer de Saül (1 S 16, 17-23), messager de son père pour visiter ses frères dans l'armée israélite (1 S 17, 12-29).

Comment expliquer ou résoudre autant de tensions, contradictions et doublons dans ce récit ? Peut-être de la même façon que je l'ai fait dans mon livre en 1983 en déterminant deux récits séparés, venant de la tradition orale, en les réunissant en une seule narration ; celle-ci s'est ensuite rédactionellement développée par des ajouts et des extensions politiques et religieuses. Un récit racontait l'histoire de David, de sa famille, de Saül et son armée, des Philistins et de leur champion, qui à son apparition fait peur aux Israélites. David se rend au campement de l'armée, vit le Philistin, et entend que celui qui le vaincra, recevra la main de la princesse. David prend deux armes : sa fronde à cinq pierres et son épée. Sa tactique est celle de la vitesse : moins grand et moins chargé que le Philistin, il court à toute vitesse dans sa direction, il le déstabilise en le frappant par une pierre lancée par la fronde. Le Philistin tombe la face contre terre et David en tirant son épée le tue en lui coupant la tête. L'autre récit faisait certainement partie d'un ensemble de narrations, car David est connu chez le lecteur et chez Saül. Il raconte le défi lancé par un champion philistin, un homme impressionnant et dangereusement armé, à un Israélite en combat singulier. Les deux armées se trouvent face à face et la réaction chez les Israélites est celle de peur de l'esclavage, si leur héros est incapable de battre ce Philistin. David, en se servant de son passé de berger, dit de ne pas avoir peur et accepte, après une consultation de Saül, son maître, le défi. Saül essaye de l'habiller de sa propre cuirasse et de son casque, mais David s'en débarrasse. Avec seulement son bâton (de berger) à la main, celui-ci s'approche du Philistin, le frappe et le tue grâce à sa vitesse et son agilité. Voyant son champion mort, l'armée philistine prend la fuite et est anéantie par les Israélites.

Quoi qu'il en soit de ces deux anciens récits et leur unification, nous pouvons constater qu'ils racontent un combat absolument normal et humain. Ce n'est qu'à travers le temps que cette confrontation a obtenu une dimension religieuse. Car la narration unifiée a été transformée en épopée nationale, mettant en valeur la participation divine. Différent des textes précédents, ici l'implication de Dieu se trouve dans les paroles prononcées par David, dans la mémoire de son peuple, l'homme aimé par Dieu et le roi exemplaire. David, le héros de la nation, a été transformé d'un simple berger en un écuyer du roi, l'annonciateur de la présence et la force divines. L'armée d'Israël devient « les lignes du Dieu vivant » (les vv. 26 et 36) ; Dieu est le Sauveur personnel de David (le v. 37) ; le verbe défier obtient un caractère religieux, quand Dieu l'emploie ; Saül impulse l'aide de Dieu à David qui était volontaire pour le combat (v. 37) : « le Seigneur sera avec toi » Et en pleine bataille, où la vitesse joue un rôle d'importance, David prononce une longue prédication au Philistin (les vv. 45-47), avec comme phrase finale : « Et toute cette assemblée le saura : ce n'est ni par l'épée, ni par la lance que le Seigneur donne la victoire, mais le Seigneur est le maître de la guerre et il vous livrera entre nos mains ».

Avec cette dernière proclamation l'ancienne narration a pris une orientation théologique. Ici le texte et les événements qu'il décrit servent, comme ailleurs, de source d'espérance et d'inspiration. Pendant la prédication aux victimes de l'oppression exilique, ils entendent que David, le roi par excellence, [qui était devenu à cette époque l'image du Messie], le dit : « Dieu surmonte les batailles des hommes » Même dans une situation désespérée, où le grand et redoutable champion de l'ennemi semble le remporter sur un simple représentant d'Israël, Dieu aide et intervient, et Il lui donne la victoire. Surtout face à ceux qui ne redoutent pas son existence et ne comprennent pas sa prédilection pour son peuple.

Josué 6

La danse autour de Jéricho, comme nous avons appelé la description des événements dans 6 Josué, est essentiellement une histoire d'une part d'une foi dans sa propre force et en la capacité humaine et de l'autre du pouvoir religieux et de la confiance en Dieu. Donc nous n'y trouvons aucune description de guerre au sens habituel du mot et nous ne savons rien des « victimes » à savoir les habitants de Jéricho. Néanmoins nous pouvons, avec un peu de connaissance des hommes dans une situation pareille, nous former une image de leurs attentes et de leurs pensées. Parce que les hommes et les femmes de Jéricho dirigés par leurs souverains, étaient sûrs que le groupe hétéroclite qui se présentait au pied des murs de leur ville, n'avait aucune chance de pénétrer dans Jéricho. Cette cité, avec ses murailles impressionnantes, représentait depuis des siècles un monument du génie humain et d'une détermination absolue pour se protéger contre tout ce que pourrait le menacer. Les habitants se sentaient en totale sécurité dans l'enceinte de la ville, probablement avec suffisamment de l'eau et nourriture. Qui pourrait les atteindre ? Certainement pas ces voyageurs venant du désert, avec leur culture attardée et leur armement primitif. Et voici donc la raison d'être de cette narration : Comment un groupe d'esclaves rescapés et voyageurs du désert peut constituer une menace pour les tenants de la culture humaine et de la puissance militaire, appelés civilisation. Comment les attentes des habitants d'une des plus anciennes cité du monde sont démasquées comme arrogantes et mensongères et comment ces gens se sont trompés eux-mêmes.

Joshua fit the battle Jericho... and the walls came tumbling down... Le son de ce negro spiritual, chanté par Paul Robeson, la grande basse américaine avec sa voix grondante, s'est ancré profondément dans nos mémoires. Il semblait comme si nous pouvions entendre craquer les murs de Jéricho, qui tombaient éparts. Et c'est ainsi qu'on a raconté cette belle histoire à des générations de jeunes et d'adultes. Comment les hauts murs épais de la ville de Jéricho bloquaient l'accès aux Israélites à la terre promise ; en créant une situation désespérée pour ce pauvre peuple. Mais, et voici le message salvateur, ces murs n'ont finalement pas pu résister à un peuple, qui, selon la volonté divine a marché autour de la ville pendant six jours en silence, puis joué de la trompette au septième jour. Et les murs s'écroulèrent, Josué et ses amis pouvaient ainsi accéder à la Terre Sainte. Le seul élément choquant de l'histoire était que toute être vivant, homme, femme, enfant et animal, a été tué. C'est pourquoi beaucoup de lecteurs et de croyants étaient et sont encore dans l'embarras à cause de cette violence brutale de la destruction totale sur ordre de Dieu (hébreu : *HèRèM* = l'interdiction). Aussi en parlons-nous avec un certain embarras ; pour les gens qui prônent la paix et la justice, le récit n'est pas en accord.

Mais Josué 6, est-il un récit de violence et de destruction ? Si nous le lisons attentivement on pourrait simplement arriver à l'inverse : N'est-il pas plutôt une histoire contre la guerre ? Après tout, qui va à la guerre, et l'ayant gagnée, n'en obtient aucun avantage ou profit ? Parce que le butin est détruit ! En revanche, la narration nous parle des promesses, qui ont été tenues, et de récupérer ce qui était perdu. Ceci nous le lisons dans le contexte de l'histoire. La narration de la chute de Jéricho suit l'énumération de plusieurs éléments religieux : la circoncision et la célébration de la Pâque (Jos 5, 1-12). Dans cette ligne religieuse et liturgique commence le récit [malheureusement on oublie généralement de commencer la lecture de la chute de Jéricho en Jos 5, 13-15] avec : « Le chef de l'armée du Seigneur dit à Josué : "Retire tes sandales de tes pieds, car le lieu où tu te tiens est saint" ». « Terre sainte », une zone réservée à Dieu. Josué doit retirer ses chaussures, car cette ville de Jéricho est sacrée à Dieu. Le mot hébreu HèRèM veut dire : mis à part et sanctifié pour Dieu, et donc par conséquent impraticable pour les hommes. Cette compréhension exprime précisément ce qui se passe avec la ville de Jéricho. À l'origine, elle est à Dieu, après la chute de ses murs elle reste à Dieu, et aucun humain n'en profitera.

Que veut nous transmettre l'auteur de ce récit biblique ? Qu'il ne reste rien devant Dieu et devant ceux qui croient en Lui, de tout ce bruit des armes, de toutes ces expressions humaines de puissance et de domination, de toutes ces masses impressionnantes et de toutes ces armées qui défilent. Surtout si nous sommes capables de faire ce qu'aucun chef d'état, dictateur ou général n'est capable pour vaincre, c'est à dire : relativiser la puissance humaine et ridiculiser ses apparences. Insérer une fleur dans le canon d'un char en fait un vase et de toute menace d'une telle machine de guerre il ne reste rien… C'est exactement ce que font ces anciens esclaves devant les murs épais de Jéricho. Au lieu d'aller tirer ou de jeter des pierres, plutôt que crier des insultes ou des malédictions, le peuple israélite danse autour de la ville. Danser autour des murs, c'est danser pour chasser son intimidation ; gaieté et réflexion contre les forces morbides et agressives. C'est une belle danse rituelle autour de Jéricho ; et le silence durant les six premiers jours où les Israélites circulent provoque une tension importante. Car la danse en ronde se tient en silence ce qui la rend beaucoup plus convaincante et impressionnante que les jurons et les rodomontades guerrières habituels. Il semble que le peuple qui écoute dans le silence se recharge par la présence de Dieu ; et qu'il incite ainsi à l'angoisse le reste du monde (représenté par la ville de Jéricho, grande, introvertie et entourée de ses murs solides), avec toute sa puissance, faste et circonstance, en attendant les événements qui vont survenir.

Et enfin le septième jour, le jour du Seigneur, les rites qui ont duré une semaine (qui évoque la semaine de la création) trouvent leur apogée dans la septuple danse mise en œuvre autour de la ville, en claironnant haut et fort ; un immense cri de louange à Dieu est poussé. Le septième jour est un jour de danse sacrée devant la face de Dieu. C'est un jour de joie ; on célèbre une nouvelle création, on fête le pays, la terre promise reçue de la main du Seigneur. En fait ce septième jour est le jour de ceux qui croient en Dieu et reçoivent de Lui ce qu'il a promis. La nouvelle vie dans la terre promise peut commencer ; et cette vie commence avec dignité, calme, adoration et joie. La danse autour de Jéricho est une danse rituelle de vie et l'expression d'une immense confiance en la puissance divine. Les croyants expriment que la violence, la force et l'armement, symbolisés par les murailles de Jéricho, ne valent rien ; qu'ils sont mensongers, parce qu'ils n'apportent à l'homme rien d'autre que des faux espoirs, de la fausse sécurité, et de la fausse protection. Donc le peuple danse autour de la ville de Jéricho, en priant, en s'humiliant devant Dieu, en ignorant les murs. Un tel comportement humain, les murs et ceux qui les ont créés ne l'ont jamais vu ; ils ne savent pas réagir adéquatement, ils perdent l'équilibre et ils s'écroulent d'incompréhension et d'incrédulité.

Donc en Josué 5 et 6, nous ne lisons pas la narration d'une guerre, mais un message en images, de l'impossible et de l'improbable qui deviennent la réalité. Le récit d'un peuple en grande difficulté, qui, d'une manière sans précédent, reçoit la vie. Une histoire d'humains faibles et petits face aux immenses pouvoirs et forces destructifs, qui célèbrent néanmoins la vie et expriment leur foi, attendant un avenir nouveau. C'était une pensée libératrice pour ceux qui se trouvaient oppressés, toujours en exil à Babylone. C'est un message plein d'espoir pour d'innombrables autres en danger et en détresse dans le temps et dans d'autres endroits.

2 Chroniques 20, 20-24

Un dernier exemple d'un texte guerrier que nous trouvons en 2 Chroniques 20. Dans la plupart des récits précédents nous avons lu des activités militaires humaines d'Israël, dans ce dernier récit, en quelque sorte un développement théologique de la description des événements à Jéricho en Josué 6, les *dramatis personae* sont présents, mais ne participent pas à la guerre. La narration commence avec l'annonce d'une campagne des trois ennemis classiques et donc stéréotypes d'Israël, les Moabites, les Ammonites et les gens de la montagne de Séir, contre Josaphat, le roi de Juda. Le peuple et le roi ont peur ; ce dernier proclame un jeûne et convoque sa nation dans le temple à Jérusalem. Josaphat s'adresse à Dieu en évoquant que pendant l'exode d'Égypte leurs pères n'ont pas pu se battre contre ces tribus et que par conséquent celles-ci veulent détruire son peuple. Il demande à Dieu de sauver sa nation et lui-même.

La réaction vient de Dieu par la médiation de Yahaziël, le lévite, qui est saisi par l'esprit du Seigneur ; il parle comme un prophète au roi et au peuple (2 Ch 20, 15b) : « Ainsi vous parle le Seigneur : Ne craignez pas et ne vous effrayez pas devant cette multitude nombreuse, car cette guerre n'est pas la vôtre, mais celle du Dieu. » Ensuite la Bible nous raconte comment Josaphat rassemble une chorale parmi les membres de son peuple. Il la fait précéder des hommes en armes, chantant et louant Dieu (v. 21) : « Célébrez le Seigneur, car sa fidélité est pour toujours ». À cet instant Dieu « mit des agents de discorde » parmi les ennemis (v.22b), d'une telle façon qu'ils se battent entre eux. L'auteur de la Bible ajoute que les trois groupes d'ennemis se levèrent les uns contre les autres et s'entre-tuèrent. Les hommes de Juda ne peuvent rien faire d'autre que regarder et constater que leurs ennemis sont morts. Ils vont pendant trois jours piller les biens de leurs opposants, bétails, richesses, vêtements et objets précieux. Le quatrième jour ils se rassemblement dans la vallée, appelée depuis « vallée de bénédiction » pour un jour de louange.

Ici, nous voyons en fait la fin du développement de la pensée de la guerre dans l'AT. Les ennemis des Israélites sont devenus les ennemis de Dieu et sont par conséquent vaincus par Dieu lui-même. Déjà dans les strates de rédactions des récits de guerre, qui contiennent la terminologie de la guerre de Dieu, nous avons vu ce phénomène de l'intervention de la divine parole. Dans ces textes les guerriers d'Israël devaient utiliser leurs mains et leurs armes, et vaincre leurs ennemis en les chassant et les tuant. Dans le récit de 2 Ch 20 le peuple est devenu le public des actes divins, vêtu en vêtements liturgiques et en chantant les hymnes à la gloire de Dieu : les choristes devancent les militaires. La force militaire n'a comme tâche que d'être témoin et observatrice de la fin de la confrontation entre Dieu et les ennemis d'Israël les conduisant à la mort.

Un détail piquant dans cette narration est le fait que les auteurs de la Bible ont jugé nécessaire de donner une explication à ce qui s'est passé avec les ennemis du peuple et par conséquent de Dieu. Ils ont raconté que les trois groupes d'ennemis se sont massacrés réciproquement. Cette notion renforce le caractère proclamant du récit ; car, au moment où ces histoires ont été écrites, le peuple n'avait aucune indépendance ou force militaire. Avec cette petite explication les auteurs-théologiens-prédicateurs donnent une image de la façon dont Dieu viendra en aide à des personnes. Quelque chose se produira de la part de Dieu, comme les « agents de discorde » dans des endroits inconnus et en temps inattendu. Les ennemis d'Israël vont se battre entre eux et s'entre-tuer. Reste pour le peuple Israélite la louange et la prière ; le message est clair : faites ceci et Dieu fera le reste.

Que veut dire « guerre sainte » ?

Comme nous la rencontrons dans la remarque de David au prêtre Ahimélek en 1 Samuel 21, 6 : « Bien sûr, les femmes nous ont été interdites, comme précédemment, quand je partais en campagne : les affaires des garçons étaient en état de sainteté. Ce voyage-ci est profane, mais vraiment, aujourd'hui il est sanctifié en cette affaire. » Il s'agit ici d'un phénomène connu partout dans l'Orient ancien, que la guerre contient des éléments sacrés. Dans les récits historisants les plus anciens de l'AT, nous lisons que, autour d'un combat, Dieu est consulté, les participants s'abstiennent des contacts sexuels et se font sacrés par le port des armes, c'est-à-dire qu'ils seront mis à part pour le service (à Dieu ou à la nation). Voir, par exemple, en 2 Sam 11 la description du comportement d'Urie le Hittite, l'époux de Bethsabée dans l'armée de Joab (en particulier le verset 11). Par cette « sanctification », le « sanctifié » (par exemple David en 1 Sam 21, 4 et 6) obtient l'accès au pain « consacré ».

Que signifie ce phénomène ? Nous pensons que les habitants de l'Orient ancien et donc aussi d'Israël de cette époque étaient conscients de la nature particulière des guerres qu'ils menaient au nom de leur peuple et donc de leur divinité. Et ceci était encore renforcé par les actes cultuels qui les accompagnaient et le fait qu'on pensait que les divinités intervenaient pendant les combats. Progressivement l'idée de la guerre sainte s'est ainsi développée. En Israël au temps des premiers rois, on a maintenu certaines coutumes sacrées, qui provenaient des traditions et coutumes orientales. Toutefois cette sacralisation par les actes guerriers a vite perdu son sens, probablement avec l'apparition des armées de mercenaires, et s'est perdue dans l'oubli, car par la suite nous ne lisons plus rien de ces coutumes. Par contre, ce phénomène a influencé les rédacteurs et réadaptateurs des textes anciens dans un temps ultérieur d'une telle façon, qu'ils ont inséré et élaboré dans les récits historisants ce qu'on appelle la terminologie de la guerre de Dieu. Précédemment, nous avons constaté qu'ainsi une tradition de la théologie de la libération s'est développée, avec comme idée de base : qu'importe la situation désastreuse du peuple Israélite, il sera aidé et sauvé par le Seigneur, son Dieu.

Dans l'ensemble de l'AT nous ne trouvons la combinaison du mot « guerre » et du nom de Dieu, YHWH, que trois fois : En 1 S 18,17 et 1 S 25,28 ; et en Nb 21,14 en combinaison avec le mot « livre » : « C'est pourquoi il est dit dans le livre des guerres de YHWH ». Les textes de Samuel n'indiquent pas précisément à quelles guerres ils font référence ; il faut se rendre compte qu'à l'époque des rois Saül et David, une « guerre » ne dépassait pas des escarmouches entre petits groupes armés de quelques centaines d'hommes. Il y avait toutes sortes d'affrontements limités, plus ou moins réguliers, entre les Israélites et les Philistins. L'implication de Dieu à ces confrontations militaires n'est en aucune façon clarifiée. La même chose compte pour le « livre des guerres de YHWH » dont Nb 21,14 parle. Si jamais une énumération des guerres, avec d'une façon ou d'une autre une implication de Dieu, a existé, il n'est absolument pas clair de quelle époque une telle écriture datait. Il me semble pourtant probable qu'un tel livre ait été écrit après le temps de l'exil à Babylone, lorsque de différentes listes ont été constituées et quand la terminologie de la guerre de YHWH s'était établie.

La combinaison des mots sainte et guerre n'apparaît aussi que trois fois dans l'AT : en Jr 6, 4 ; Mi 3, 5 et Jl 4,9. Dans ces trois cas, le sens de guerre sainte est neutre, l'expression ne signifie rien d'autre que déclarer la guerre, proclamer la guerre, se battre ou se préparer pour la guerre. Ceci est d'autant plus clair lorsque le prophète Jérémie (Jr 6) réfère aux ennemis de la tribu de Benjamin et de la ville de Jérusalem ; tandis que Joël (au chapitre 4) incite les nations, donc les païens, à se préparer à la guerre. Le prophète Michée décrit comment les faux prophètes, quand ils ne reçoivent rien à manger d'un particulier, prophétisent qu'il aura de la violence, de la guerre contre lui. Dans ces cas, on ne peut pas du tout parler de la sacralité de la guerre.

Et finalement nous arrivons à la question cruciale : qu'est-ce qu'une guerre sainte bibliquement parlant ? En réalité : rien ! Simplement la guerre sainte n'existe pas dans l'AT (et dans toute la Bible). Elle est une reconstruction théologique des exégètes du XXe siècle. La guerre sainte est une conception théologique d'une époque quand on a essayé de rassembler certains phénomènes bibliques dans une théorie compréhensive. Cependant nous pouvons parler des aspects sacrés de la guerre, tels qu'ils se produisent dans tout le Moyen-Orient ancien : la consultation d'un oracle pour obtenir l'avis de Dieu ; l'abstinence sexuelle avant la bataille et la sanctification par les armes, comme nous l'avons vu dans 1 S 21 et 2 S 11. Mais ces phénomènes en soi disent très peu de choses sur le rôle de Dieu dans les guerres humaines, sinon dans celui d'un Conseiller. Cependant nous pouvons dire que faire la guerre est un acte qui met les combattants hors des convenances habituelles dans la société et leur donne une identité spéciale, parfois presque divine. Mais ces observations, combinées aux phénomènes que nous discuterons ci-dessous, sont trop limitées pour y élaborer une théorie de la guerre, si ce n'est sur la question de devoir déterminer sa date dans l'histoire religieuse d'Israël. De toute façon il valait mieux parler de guerre sacrée que de guerre sainte.

L'interdit

Un des phénomènes habituellement associés à la guerre dans l'AT et qui selon autres exégètes appartiendrait à la guerre sainte est le terme hébraïque *HèRèM*, traduit par interdiction ou interdit, l'anéantissement total et obligatoire par les Israélites des humains, des animaux et des objets, donc le butin après une victoire militaire. Sur commande de Dieu les Israélites ne doivent opérer aucune capture dans les villes conquises (c'est pourquoi la traduction française est « interdiction »). Tout doit être détruit ou une partie du butin doit, si possible, être divisé et conservé pour le sanctuaire, donc pour Dieu (*HèRèM* = consacré et voué à Dieu). Nous retrouvons ce terme à plusieurs reprises dans les récits guerriers de l'AT. Et il paraît quelques fois dans les textes prophétiques, comme dans Es 34, 2 et 4, où il exprime la destruction totale des ennemis de Dieu. Cet aspect destructeur de *HèRèM* de tout ce qui est vivant, est particulièrement pour beaucoup de lecteurs de la Bible difficile à assimiler, à accepter et à intégrer dans leur foi en Dieu.

L'origine du terme – et donc dans les textes les plus anciens de l'AT – pourrait se trouver dans le langage guerrier exprimant que l'ennemi a été totalement vaincu et qu'il n'en restait aucune âme vivante. De cette façon nous pouvons lire le récit en 1 S 27, 1-12, où le terme *HèRèM* est utilisé deux fois en les versets 9 et 11. Ici nous lisons qu'en partant de sa ville de Ciqlag, David a détruit des villes et des villages dans les alentours, mais hors du territoire des Philistins. Aux derniers il donne l'impression d'avoir conquis des villes faisant partie du territoire israélite. Parce qu'il a tué tous les habitants (*HèRèM*, il s'en est cependant approprié le butin), personne ne pouvait le trahir en racontant la vérité. Ce terme d'origine profane a obtenu plus tard dans le temps une coloration religieuse s'il se réfère à la consécration d'une ville et de tout ce qui était dedans à Dieu. Le *HèRèM* dans ce sens théologique a trouvé sa place dans le développement religieux pendant la réécriture des textes anciens. Il donne la réaction des humains au fait que Dieu leur a donné telle ou telle ville « dans les mains ». Aux hommes la victoire et la liberté et à Dieu le butin.

Cette dernière évolution théologique a eu lieu à une époque où la guerre n'est plus une activité réelle pour le peuple Israélite. En quelque sorte le mot *HèRèM* exprime donc le côté humain de la victoire : elle résulte en la liberté pour le peuple. Quand nous pensons que beaucoup de ces récits ont été remaniés et adaptés pendant l'exil Babylonien et après, le message de ces narrations théologiques est clair. Le peuple ne va pas gagner de biens mais réalisera tout de même son indépendance en rentrant dans son pays d'origine. Mais le mot *HèRèM* n'a pas seulement une implication directe pour le peuple en détresse : il contient aussi un message pour tous les lecteurs de la Bible. L'interdiction fonctionne comme motif contre-productif pour aller à la guerre. Une des principales raisons de faire la guerre et d'être violent contre d'autres nations ou tribus dans le monde (et donc aussi dans la Bible), est la conquête d'un territoire, de ses habitants et de ses biens. Avec ce mot terrible, *HèRèM*, cet enrichissement devient impossible et enlève par conséquence toute raison de se rendre en route pour conquérir le territoire d'une autre nation. Parce qu'il interdit aux lecteurs et croyants le combat et la conquête pour obtenir le butin. Effectivement, tout ce qu'on a conquis finit sur le bûcher ou dans une fosse ; ou dans le meilleur des cas dans le sanctuaire. Une des raisons principales à la guerre, à savoir acquérir un bien sous quelque forme que ce soit, est neutralisée, car pourquoi risquer sa vie si l'on ne peut rien obtenir en échange… ?

Première évaluation

La première question, que nous avons posée pendant la lecture des différentes narrations guerrières, était : quand a-t-on écrit ou réécrit ces textes ? Nous avons essayé d'y répondre en étudiant le développement de la rédaction des textes bibliques avec les récits de guerres, dans lesquelles Dieu a été impliqué. La réponse n'était pas simple, parce qu'elle dépendait beaucoup de notre capacité et volonté d'approcher les textes bibliques avec liberté et ouverture d'esprit. Et en résumant nous pouvons conclure que les narrations durant lesquelles apparaît la violence ont été politiquement et religieusement adaptées entre la chute de

Samarie (722 avant JC) et celle de Jérusalem (587 avant JC) et qu'elles ont ensuite été remaniées et réadaptées pendant l'exil à Babylone (587-538 avant JC). L'implication explicite de Dieu dans plusieurs récits date de cette dernière période. Ces récits sont la réaction des théologiens exilés à la menace pesant sur le peuple israélite pendant l'exil et sa peur de se perdre dans l'amalgame des temps.

Les récits devenaient parénétiques pour le peuple opprimé. Israël, ayant perdu son identité nationale, politique et militaire, était également sur le plan théologique profondément désorganisé. À cette époque il n'était plus question ni d'une existence nationale indépendante, ni d'un pouvoir politique ou d'une armée autonome, ni d'une base théologique de la vie en exil du peuple. La réadaptation théologique des narrations guerrières cherchait à éveiller une conscience religieuse nouvelle et à encourager les Israélites de telle façon qu'ils mènent leur vie et leur foi en résistant à la dissolution dans l'ensemble des courants religieux contemporains durant l'exil. La réadaptation montre un Dieu qui est au centre des activités humaines, parmi elles les guerres. Car c'est lui, Dieu, qui défait les ennemis des Israélites. Il accorde la victoire en combattant lui-même pour son peuple. C'est donc Dieu, qui prend la relève et marche en tête au combat ; c'est ainsi qu'Il protège son peuple et le libérera de la détresse du moment.

Nous pouvons constater que ces récits ont fonctionné pendant l'exil babylonien comme prédications encourageantes. Pour changer l'esprit des exilés et pour les inspirer à vivre la foi en Dieu. Donc les textes concernent moins la violence que la libération, qui vient de Dieu sans que le peuple ait besoin de se battre contre un ennemi. Les théologiens ont remanié les anciens récits de combat d'une telle façon qu'ils sont devenus des récits d'une libération future du peuple. Même un des mots des plus choquants de la Bible, *HèRèM*, joue un rôle dans cette compréhension des narrations guerrières. L'interdit implique que les conquérants ou les vainqueurs d'une bataille ne peuvent rien conserver pour eux-mêmes. Le butin doit être détruit en l'honneur de Dieu. Ceci signifie deux choses : 1. Que c'est la guerre de Dieu contre les ennemis d'Israël ; donc c'est à lui que revient le butin. 2. Qui va faire la guerre si l'on sait d'avance qu'on ne gagnera rien lors d'une éventuelle victoire ? À quoi bon alors risquer sa vie et l'indépendance de la nation ?

2

L’autre

L’ENNEMI (ET L’IMAGE QU’ON LUI DONNE)

L’homme a vraisemblablement besoin d’un autre pour se battre contre lui. La Bible reconnaît ce fait et nous y trouvons dès le début de l’histoire de l’humanité cette opposition entre créatures : déjà en Gn 3 Adam tient responsable Ève pour ses actes (v. 12) : « La femme que tu as mise auprès de moi, c’est elle qui m’a donné du fruit de l’arbre, et j’en ai mangé ». Et dans le chapitre suivant (Gn 4), Caïn tue son frère Abel. Peu de personnes sont capables de surmonter cette opposition entre humains tout en étant bon et généreux. Un exemple positif et représentatif est à trouver en 2 Rois 5 : nous y rencontrons une fillette israélite anonyme, enlevée par les Araméens et devenue esclave dans la maison de Naamân, le chef de l’armée. Elle conseille Naamân de se faire guérir auprès du prophète Élisée. Qu’importent ses motifs, ici nous ne voyons pas d’opposition, de sentiment de revanche ou d’agressivité, la fillette fait preuve de dévouement et de respect entre les hommes, nécessaires pour que le monde change. En quelque sorte, elle est le précurseur de Jésus, qui, crucifié, demande que le pardon soit accordé à ceux qui lui ont fait du mal.

Néanmoins nous voyons que la Bible est assez réaliste concernant les ennemis : ils existent. Leur inimitié est dirigée contre le peuple élu de Dieu, les justes, les pieux et les croyants. La justice de Dieu et son (dernier) jugement constituent l'aide divine contre les ennemis. La Bible ne cherche pas à comprendre cette inimitié ; pour ses auteurs, les ennemis sont en quelque sorte les serviteurs du mal. Le mot ennemi est régulièrement trouvé dans la Bible : Dans l'AT environ 280 fois et dans le NT 32 fois. La traduction en grec du mot hébreu *OJeB* (ennemi) est *echthros*, présent 450 fois dans la Septante, car avec ce mot on a également traduit plusieurs autres mots, qui signifient aussi « ennemi ». Ces statistiques indiquent déjà l'importance de ce mot dans la Bible entière. À part ceci, nous trouvons aussi les verbes « être/devenir un ennemi » (en Ex 23,22 et 1 S 18,29) et le substantif « inimitié » (Gn 3,15 ; Ez 25,15 ; 35, 5 ; et Nb 35,21s.).

Dans les textes historiques, prophétiques ou poétiques de l'AT il y a différents ennemis. D'abord les ennemis individuels : par exemple deux hommes qui se sont opposés lors d'une bataille, au nom de leur pays (David et Goliath en 1 S 17 ; Saül et David en 1 S 16-31), mais également un seul homme contre une nation entière (Samson contre les Philistins en Jg 13-16). Les ennemis se présentent non seulement dans un conflit militaire, mais aussi dans une confrontation politico-religieuse (le prophète

Elie et le roi Akhab en 1 R 18, 16 – 1 R 21). Au long de son histoire, Israël a rencontré plusieurs rois ennemis de la nation. Dans les textes ils sont mentionnés individuellement, mais ils ont en fait toute une armée derrière eux (Nabuchodonosor, roi de Babylone, en 2 R 24 et Haman en Est 3-7).

Et finalement, Dieu aussi peut devenir l'ennemi d'une personne. Célèbre est l'histoire de Job, se plaignant de sembler être devenu l'ennemi de Dieu (Jb 13, 24 et 33, 10). De la même façon, le prophète Jérémie (30, 14) et l'auteur des Lamentations (2, 4 et 5) remarquent que Dieu se comporte comme un ennemi d'Israël. Dans les textes des prophètes du Royaume du Nord (Israël) et du Royaume du Sud (Juda), nous trouvons une élaboration de cette notion, quand ils affirment que Dieu livre son peuple Israël à une domination étrangère : Os 10, 9s. ; Am 9, 7 ; Es 5, 25-30 et 7, 17-19 ; Jr 21, 7-10 et 25, 8-11. Dans le livre des Juges (voir par exemple Jg 4, 1-3), ce thème fait partie d'un schéma littéraire pour décrire la situation du peuple : 40 ou 80 ans après un événement, le peuple prend des libertés avec les commandements divins et par conséquent Dieu le punit en lui envoyant un ennemi. La Bible appelle ceci une « oppression », non une guerre avec une autre nation. Le peuple peut compter sur l'aide divine pour se libérer après la reconnaissance de sa faute et de sa dépendance à Dieu.

Dans un contexte juridique, nous retrouvons le mot « ennemi » dans une situation étonnante quand il est dit : « Quand tu tomberas sur le bœuf de ton ennemi, ou sur son âne, égarés, tu les ramèneras » (Ex 23,4). Ici le texte ne réfère pas à un ennemi étranger (d'une autre nation ou tribu) mais à quelqu'un de son propre peuple, qu'on peut ne pas aimer ou haïr. Dans le même sens nous devons interpréter le texte en Nb 35,23 : en cas d'homicide involontaire, il n'y a pas condamnation à mort et le meurtrier sera ramené dans une ville de refuge, « si donc il l'a fait sans lui être hostile et sans lui vouloir du mal ». En général les ennemis singuliers sont des personnes qui menacent les plaignants, les malades et les gens en détresse, qui sont déjà touchés par un sort désagréable. En quelque sorte ceux déjà à terre reçoivent un coup de grâce. En fait, les ennemis affectent et détruisent les relations au sein de la communauté. Voir par exemple Job : il a d'énormes problèmes et tout ce que ses amis font, c'est de le blâmer pour ses difficultés. Avec de pareils amis on n'a pas besoin d'ennemis ; ses amis le sont déjà. Un autre exemple est le roi David (en 2 S 16) qui doit fuir Jérusalem à cause de son fils Absalom qui s'est accaparé du pouvoir royal. En route pour un refuge, plusieurs personnes lui montrent leur mépris à son égard. Se trouver dans la misère signifie ici une occasion d'augmentation d'isolement, de blâme, de mépris et d'inimitié. En quelques psaumes (Ps 6, 3 ; 30, 3 ; et 41,5), on voit comment les ennemis se réjouissent de la malchance ou de la maladie de celui qui prie.

Dans d'autres Psaumes se présente un stéréotype de la description des ennemis : les ennemis du peuple sont décris comme des animaux (le lion dans les Ps 3, 8 ; 7, 3 ; 10, 9, 17, 12 ; 22, 14 ; 35,17 ; un fauve dans les Ps 22,13, 17 et 21 ; 59, 7 et 15) ou des démons. Ainsi, ils obtiennent, théologiquement parlant, la signification des auteurs du contre-divin ; l'important n'est pas la description précise des ennemis, mais leur caractère contre-divin et chaotique. Cette façon de stéréotyper les ennemis se retrouve aussi dans le langage de la guerre de YHWH. Ici les ennemis d'Israël, devenus ceux de YHWH (voir par exemple Ex 17, 14 et 16), sont les opposants d'autrefois comme les Amalécites, Égyptiens, Cananéens, Philistins et Ammonites. À l'époque où ces paroles ont été formulées, ces ennemis ne formaient plus un danger pour la nation israélite. Ils étaient des dangers réels pour la survie du peuple israélite ; or, pendant et après l'exil, on s'est servi de leur nom pour indiquer le danger extérieur, surtout à une période où il n'était pas sage de nommer ceux que représentaient la menace effective du moment.

En même temps l'AT montre aussi une autre approche de l'inimitié : l'attitude positive envers son ennemi. On le trouve en Ex 23, 4 s. : « Quand tu tomberas sur le bœuf de ton ennemi […] tu le lui ramèneras » ; Pr 24, 17 « Ne te réjouis pas de la chute de ton ennemi, ne saute pas de joie quand il perd pied » et Pr 25, 21 s. « Si ton ennemi [Ici le mot en Hébreu est différent : *SJaNa*] a faim, donne-lui à manger ; s'il a soif donne-lui à boire. Ce faisant, tu prendras, toi, des charbons ardents sur sa tête. » Dans ces trois cas le mot ennemi concerne surtout une personne proche de l'intéressé, dans la même communauté, faisant partie du même village, ou peut-être même de la même tribu. Le texte d'Exode est un texte juridique qui demande à une personne d'en aider une d'autre, même si elle vit en conflit avec elle. Les textes de Proverbes vont aussi dans ce sens ;

il faut être humain avec tout le monde, même si l'autre est ton adversaire ou une personne qu'on n'apprécie pas.

Le NT a une approche différente de la vie humaine. Sa base est l'amitié ou l'amour fraternel, une attitude intérieure positive envers l'autre. Ce qui compte c'est le bien-être de l'autre, dont l'hostilité est son équivalent négatif. Ceci implique qu'il faut donner à tout le monde, et par conséquent aussi à ses ennemis, un droit à l'existence. En plus, il faut leur procurer une raison d'être pour changer et les faire chercher l'amitié. C'est pourquoi le croyant en Jésus les traite selon ses paroles formulées dans la Règle d'or : « Et comme vous voulez que les hommes agissent envers vous, agissez de même envers eux » (Lc 6, 31). Afin de les mettre face à leur comportement animique, aux motifs de leur agressivité et pour leur faire comprendre les mécanismes de la vengeance, cette attitude du croyant est, selon l'évangile, comme un témoignage de la puissance de Dieu.

Chez l'apôtre Paul le comportement du chrétien est basé sur une approche intense de l'ennemi : « Bénissez ceux qui vous persécutent » (Rm 20, 14). Et Paul formule la même pensée que Jésus dans le Sermon sur la Montagne (Rm 12, 20) : « Mais si ton ennemi a faim, donne lui à manger, s'il a soif, donne lui à boire, car, ce faisant, tu amasseras des charbons ardents sur sa tête. » En citant Proverbes, avec la dernière partie de la phrase (Pr 25, 22), Paul accentue le but de ce comportement. Par l'acte généreux, que l'ennemi n'attend pas, quelque chose doit changer dans l'esprit de ce dernier. En quelque sorte, le chrétien attaque son hostilité par ce geste humain, et essaye de la tourner en fraternité.

Mais on peut également avoir une situation hostile entre chrétiens ; c'est ainsi quand Paul demande aux Galates : « Et maintenant, suis-je devenu votre ennemi parce que je vous dis la vérité ? » (Ga 4, 16). Ici joue donc la tension entre l'apôtre et la paroisse des Galates qu'il a fondée. Les Galates ont suivi les témoignages d'autres personnes peu fiables. Ennemi veut dire ici que les Galates ne sont plus de vrais disciples de Paul, mais qu'ils sont devenus ses opposants.

Le mot ennemi dans son sens normal est retrouvé dans les textes des évangiles. Par exemple dans la parabole de l'ivraie, où un ennemi est venu pour semer de l'ivraie au milieu du blé (Mt 13, 24-30 ; ennemi en les vv. 25 et 28). Il dépend de l'explication de cette parabole pour déterminer plus précisément qui est l'ennemi. Les exégètes disent régulièrement que c'est Satan, qui essaie de mettre en danger le développement du royaume de Dieu. On retrouve le mot aussi dans le psaume prophétique de Zacharie (Lc 1, 68-79). Le psaume parle du temps de salut, qui s'approche avec la naissance de son fils, Jean le Baptiste ; ce temps apportera la libération des ennemis : « un salut qui nous libère de nos ennemis » (v. 71) et « après nous avoir arrachés aux mains des ennemis » (v. 74). Par contre, la fin des temps implique aussi la destruction de la ville de Jérusalem, comme Jésus le dit en pleurant sur Jérusalem : « Oui, pour toi des jours vont venir où tes ennemis établiront contre toi des ouvrages de siège ; ils t'encercleront et te serreront de toutes parts ; ils t'écraseront, toi et tes enfants au milieu de toi ; et ils ne laisseront pas en toi pierre sur pierre, parce que tu n'as pas reconnu le temps où tu as été visitée » (Lc 19, 43s.). En quelque sorte on pourrait parler ici d'un ennemi physique (par exemple les Romains), qui va – comme outil dans les mains de Dieu, comme dans l'AT – punir la ville et ses habitants pour leur manque de foi en Jésus.

L'Apocalypse réfère aussi aux ennemis (Ap 11, 1-14) ; dans son langage secret et plein d'images symboliques, Jean, l'auteur de ce livre, nous raconte que dans les batailles à la fin des temps deux témoins de Dieu, peut-être Moïse et Élie, se battent contre les ennemis de Dieu (v. 5). D'après leur témoignage ils seront tués par la « bête », leurs corps resteront sur la place, mais ils seront après trois jours et demi ressuscités par un souffle de vie divin : (v. 11) « Et ils montèrent au ciel dans la nuée, sous les yeux de leurs ennemis » (v. 12). Il est évident que le texte fait référence à des ennemis concrets, mais leur nom ne peut être révélé, sans menacer la vie de l'auteur et la perennité des pages rédigées.

Paul, par contre, parlant des ennemis de la croix du Christ, réfère aux chrétiens médiocres qui préfèrent leur ventre au lieu de suivre le chemin de Dieu (Ph 3, 18) et à un opposant de ses propres activités, le magicien Elymas (Ac 13,10). Avec une citation du Psaume 110, 1b, « Jusqu'à ce qu'il ait mis tous ses ennemis sous ses pieds. Le dernier ennemi qui sera détruit, c'est la mort » (1 C 15, 25s.), Paul parle de la fin des temps et de l'installation du royaume de Dieu ; les ennemis, sont donc tous ceux qui s'opposent à la réalisation de ce royaume. Mais la citation du même psaume chez les évangélistes synoptiques (Marc, Matthieu et Luc) a été précédée par « Le Seigneur a dit à mon Seigneur : Siège à ma droite » (Ps 110, 1a) et se concentre surtout sur la relation entre Jésus et David (Mc 12, 36 // Mt 22, 44 // Lc 20, 42) ; les ennemis ne jouent pas un rôle particulier et sont peu définis.

Toujours assez générale dans son expression est l'utilisation du mot ennemi dans la seconde épître de Paul aux Thessaloniciens (2 Th 3, 15). Ici il a le sens d'un opposant ou de quelqu'un qui ne fait pas partie d'une communauté. « Si quelqu'un n'obéit pas à ce que nous disons dans cette lettre [...] ; ne le considérez pourtant pas comme un ennemi, mais reprenez-le comme un frère. » Un pas plus loin va l'apôtre Paul, quand il se sert du mot pour indiquer l'homme qui s'est opposé à Dieu dans ses pensées et ses actes ; c'est ainsi que celui-ci est ou était un ennemi de Dieu ; voir Rm 5, 10 « Si en effet, quand nous étions ennemis de Dieu, nous avons été réconciliés avec lui par la mort de son Fils », et Col 1, 21s. « Et vous qui autrefois étiez étrangers, vous dont les œuvres mauvaises manifestaient l'hostilité profonde, voilà que maintenant Dieu vous a réconciliés dans le corps impérissable de son Fils, par sa mort ».

Donc, ceux qui ne connaissaient pas autrefois le Dieu d'Israël (par exemple, les non-Juifs ou les païens), mais qui par la découverte de l'Évangile sont devenus croyants, sont pardonnés et acceptés par Dieu. C'est ainsi que l'opposition entre les Juifs et les païens a été changée en unité et en fraternité par le sang du Christ (Ep 2, 14ss.). Par contre, ces Juifs, qui n'ont pas accepté Jésus comme leur sauveur, sont devenus également les ennemis de Dieu (Rm 11, 28). Or, l'inimitié est selon l'épître aux Galates (Ga 5, 19 ss.)

« l'œuvre de la chair » et « le mouvement de la chair est révolte contre Dieu » (Rm 8,7). Cependant le vrai ennemi de Jésus et de ses disciples (voir ci-dessus la parabole de l'ivraie en Mt 13, 24-30) est Satan (1 P 5, 8) ; mais Jésus a donné le pouvoir à ses disciples afin de les protéger de lui (Lc 10, 19).

Le fondement chrétien de tout comportement humain est l'amour ; comme Jésus le dit dans le Sermon sur la montagne (Mt 5, 43s.) : « Vous avez appris qu'il a été dit : Tu aimeras ton prochain et tu haïras ton ennemi. Et moi, je vous dis : “Aimez vos ennemis et priez pour ceux qui vous persécutent” ». D'une part nous lisons ici un commandement de l'amour fraternel et d'autre l'instruction de prier pour ses ennemis. Ceci nous le trouvons déjà, avec un but particulier, chez le prophète Jérémie, quand il ordonne aux exilés à Babylone : « Intercédez pour elle [la ville de Babylone] auprès du Seigneur : sa prospérité est la condition de la vôtre » (Jr 29, 7).

Excursus I. Le rapport entre l'Ancien et le Nouveau Testament

Depuis la grande hérésie de la Gnose (au début de notre ère), il existe une théorie nuisible au rapport entre l'Ancien et le Nouveau Testament, qui dit que le Dieu de l'AT est violent, colérique et agressif alors que le Dieu du NT est amour, libération et pardon. Malheureusement cette hérésie est indestructible, et beaucoup de chrétiens y croient à tort encore de nos jours ! Car l'image de Dieu dans l'AT est aussi nuancée et complexe que celle dans le NT. C'est poser une rupture impossible, inacceptable, dans l'unité de la Bible. Après tout, le NT ne se laisse pas lire sans l'AT ; car nous retrouvons dans le NT toutes sortes d'images de Dieu issues de l'AT. Et ceci vaut également pour les aspects violents de Dieu. L'image que le NT donne de Dieu est parfois ambiguë, certainement pas plein de bonté ou de bienveillance. Dans de nombreux textes du NT Dieu est considéré comme étant assez radical, faisant une séparation définitive entre les bons et les mauvais, et infligeant de fortes peines aux infidèles. Bien sûr, les aspects de la guerre, telles qu'ils existent dans l'AT ne se retrouvent pas dans les évangiles et les épîtres, mais le livre de l'Apocalypse avec ses tableaux véhéments et apocalyptiques, ne peut être lu convenablement sans la connaissance des descriptions de guerres dans l'AT.

Ici nous nous trouvons devant la grande question de la relation entre l'AT et le NT. Comment d'un point de vue chrétien peut-on comprendre ces deux parties de la Bible, qui ont été formellement constituées en livres sacrés au cours du IVe siècle de notre ère ? Déjà, lorsque nous parlons de l'AT un autre problème se présente : de quel ancien Testament parlons-nous ? Car, il est connu qu'il y a deux grandes versions du texte de l'AT : celui en hébreu (le Massorah) et celui en grec (la Septante). Il serait trop simple de dire que la seconde étant plus récente que la première, elle est par conséquent sa traduction ; d'autant plus que la seconde a une quantité non négligeable de livres en plus que la première (qu'on appelle les livres apocryphes ou deutérocanonique [moins importants pour la foi chrétienne]). Quelle édition est la plus acceptable quand on sait que dans le NT on cite régulièrement des textes supplémentaires de la version grecque ? Même la date de fixation du contenu (le canon) des deux versions ne nous aide pas à faire un choix, car à l'époque du NT les deux n'étaient pas encore définitives. Et pour vraiment compliquer cette approche, il faut ajouter une autre constatation : la Septante a été acceptée assez vite par l'Église, dans laquelle le grec est devenu la langue courante ; le Massorah a été fixé par les Juifs et on pourrait dire qu'ils ont fait ce choix en opposition avec les chrétiens.

Il est impossible d'essayer de donner un point de vue sérieux sur tous ces thèmes inter-mélangés et de présenter une opinion équilibrée sur la question de la relation entre l'AT et le NT en quelques lignes. Nous prenons comme point de départ et comme base de nos réflexions bibliques et théologiques l'unité de la Bible. La Bible contient pour nous deux témoignages inspirés de la Personne de Dieu, qui nécessitent chacun une approche, compréhension et exégèse propre. Et bien qu'on considère en général les livres apocryphes de l'AT de moindre importance pour la compréhension de la Personne de Dieu, on doit les prendre en considération, parce que le NT s'en sert. Le lien entre les deux parties de la Bible consiste de plus en le fait que presque tous les auteurs et les dramatis personae du NT sont ancrés dans les traditions émergentes de l'AT. Néanmoins nous ne pouvons pas dire que le NT était la seule issue imaginable de l'AT. Les images de Dieu, les idées religieuses, sociales, éthiques et politiques de l'AT sont beaucoup plus diversifiées et ouvertes que celles du

NT. En fait, la réalité du NT n'est pas une conséquence logique de l'AT bien que les évangélistes aient fait un gros effort pour tisser différents liens entre les deux parties de la Bible.

La révélation divine de l'AT est différente de celle du NT par son extension et ses différents aspects, et parce qu'elle se développe lentement à travers mille ans. Une grande diversité de genres littéraires, une adaptation et une élaboration par des rédacteurs du contenu des textes se manifeste dans l'AT. Or, dans les actes de création, dans les histoires des individus comme les patriarches, dans le développement d'un groupe d'esclaves en Égypte jusqu'à une nation indépendante en Palestine, dans la royauté, dans la pérennité de la ville de Jérusalem, dans les sanctuaires et le temple, dans la liturgie et ses textes, dans les textes de sagesse, dans les paroles des prophètes et dans les descriptions historico-théologiques, dans tout ceci, Dieu se présente aux hommes. Mais on perçoit continuellement cet approfondissement de la connaissance de Dieu, par des mouvements théologiques différents ; d'un côte la tendance universaliste (l'orientation de la théologie sur le monde entier) et de l'autre la tendance particulariste (la concentration de la théologie sur le peuple élu, donc Israël). Ces deux tendances se retrouvent à l'époque du NT, lorsque le chemin du christianisme et celui du judaïsme se séparent : les Juifs s'enferment dans leurs communautés avec, pour chacune, son identité particulariste basée sur leur interprétation de la Loi ; les chrétiens, à l'instar de l'apôtre Paul, voient en Jésus Christ une ouverture vers le monde, parce que, en Lui, chaque homme est pardonné et accepté.

L'unité de la Bible est d'autant plus importante que le NT ne veut pas donner une autre image de Dieu ou de ses commandements différente de celle de l'AT. Le nouveau ne met nulle part en doute le contenu de l'ancien ; au contraire, pour ses auteurs la parole divine est dans chaque phrase, et l'AT est la base et la confirmation de ce qui se joue dans le NT. Celui-ci se voit comme une continuation de l'histoire du salut du peuple israélite, mais concentrée en Jésus. L'épître aux Hébreux le formule ainsi (He 1, 1s.) : « Après avoir, à plusieurs reprises et en diverses manières, parlé autrefois à nos pères par les Prophètes, Dieu, dans ces derniers temps, nous a parlé par le Fils, qu'il a établi héritier de toutes choses, et par lequel il a aussi créé le monde ». C'est pourquoi il apparaît préférable de prendre comme point de départ, pour la bonne compréhension des histoires vétérotestamentaires avec la violence et les guerres, la perception de Dieu du NT. Elle est en soi déjà partiellement une interprétation et une élaboration des images de Dieu que l'AT nous offre. Or, dans le NT nous rencontrons Dieu en un homme, Jésus de Nazareth, énergique, qui sait dans quelle direction il veut aller avec les siens, et accepte les conséquences de sa prédication et de sa position dans la société de son temps. Il est à la recherche d'une vraie paix parmi les hommes, mais il sait en même temps que l'utilisation de l'épée domine l'esprit humain et que l'homme s'en sert trop facilement. Jésus ne nie pas l'agression qui est en l'homme, mais essaye de changer sa mentalité et de sc tourner vers l'amour et la paix. Ceci se lit clairement dans le Sermon sur la montagne en Matthieu 5-7, dans lequel les thèmes de la paix et d'amour de ses ennemis se déploient. De même dans les diverses déclarations et dans sa propre vie, Jésus montre qu'il rejette la violence et l'agression des hommes entre eux, d'un groupe envers un individu ou un autre groupe. Et Il met en garde ses disciples contre la violence qu'exerceront leurs semblables à leur égard (voir Jn 17, 14).

L'ÉTRANGER

Le terme d'étranger prend une acception particulière dans l'actualité. Dans les discussions de nos sociétés occidentales modernes sur l'autre et l'ennemi, les étrangers jouent un rôle de premier plan. Dans les discussions sur la soi-disant société multiculturelle, on note trop souvent l'observation selon laquelle les nouveaux arrivants ne s'adaptent pas suffisamment aux us et coutumes des pays d'accueil. Ceux d'origine étrangère et venus de pays lointains, veulent habiter chez nous, dit-on, et doivent se comporter nécessairement comme nous. D'une part la population autochtone suggère que les étrangers sont venus de leur plein gré, ajoutant qu'ils n'ont que des objectifs financiers, de l'autre on nie la réalité des migrations humaines à travers les temps (voir, par exemple, les temps bibliques). Sans vouloir nous immiscer dans ces discussions, pas toujours exemptes de préjugés, nous définissons ici le terme étranger comme suit : personne qui a son origine dans un autre pays et s'est déplacée pour construire une nouvelle vie ailleurs. Certaines avaient l'intention de s'installer temporairement et de rentrer dans leur pays d'origine à un moment donné, d'autres ont cherché à s'installer socialement et rentrer chez eux plus tard, par exemple à l'âge de la retraite. D'autres encore étaient conscientes dès leur départ que cette démarche serait définitive. Voici un exemple de panel d'étrangers. Et cette image se complique par le fait que nous vivons dans un monde où les gens se déplacent de plus en plus d'un pays à l'autre en raison de leur travail ou de vie personnelle. Nos sociétés sont devenues mondiales. Enfin, il y a toujours ceux qui sont arrivés par accident dans un pays étranger, s'y sont sentis chez eux et… sont restés.

Toutes ces personnes, qui, pour une raison quelconque, se trouvent dans un autre pays que le leur, sont appelées « étrangers » et on ne les traite pas de la même manière. L'ambassadeur d'un pays africain, qui, dans une magnifique robe exotique, se présente au président de la République à l'Élysée, est considéré différemment du gamin issu de ce même pays, qui crève le pneu d'une voiture de police dix kilomètres plus loin, dans la banlieue parisienne. Et parmi les étrangers il existe différents catégories : ceux, dont tout le monde sait qu'ils viennent d'autres pays, mais qui se sont parfaitement intégrés dans leur nouvelle patrie et ceux, qui semblent moins capables de s'adapter à leur pays d'accueil et pour lesquels sa morale, son système politique, ses formes sociales et religieuses sont inacceptables.

Ces différentes catégories d'étrangers n'existent pas seulement dans l'Europe du XXIe siècle, elles sont déjà présentes dans la Bible. Du fait de cette diversité parmi les étrangers, il n'est pas facile de chercher et de trouver dans la Bible des indications ou des commandements utiles sur la manière de traiter les étrangers aujourd'hui. Donc, si nous voulons parler des étrangers d'une façon biblique, ce n'est qu'avec une grande prudence. Néanmoins les narrations bibliques nous donnent à découvrir et à réfléchir des expériences de ceux qui sont venus dans un pays qui n'est pas le leur ; ce qui peut nous aider à trouver les conditions d'une situation acceptable réciproque. Dans la suite, nous esquisserons ce que d'autres chercheurs ont formulé : une image nuancée, mais pas toujours très positive, dans la Bible, de la relation des Israélites avec l'étranger (parfois l'invité). Puis nous suivrons la voie de l'exégèse narrative, pour arriver à la conclusion que la Bible nous donne une base de compréhension quant à la position de l'étranger parmi nous.

Les données bibliques

Dans l'AT, un des mots les plus importants pour étranger est *GeR* : une personne d'origine étrangère qui s'est établie dans une autre nation, ou parmi un peuple ou une tribu, qui n'est pas la sienne. Le mot *ger* se trouve 92 fois dans l'AT, dont 11 fois au pluriel ; le verbe (*gur* = résider comme étranger) 81 fois. L'autre mot, le substantif *NeKaR* = étranger ou un pays étranger, est utilisé 36 fois dans l'AT et son adjectif *NoKRi* 45 fois (dont 6 fois *ben-nokri* = fils de l'autre ou de l'ailleurs). Il y a deux autres mots dans l'hébreu de l'AT, *TuSHaF* 13 fois et *TzaR* 71 fois, qui ne sont pas importants pour notre exposé. Les équivalents dans la Septante sont pour le mot *nokri* souvent *xenos* ou *paroikos*, et *proselytos* pour le mot *ger*. Il ne convient pas de parler d'une traduction, car régulièrement nous avons affaire à une approximation d'une langue par l'autre. La différence entre les deux est globalement qu'un *ger* a des droits et le *nokri* n'en a aucun. Et que le *nokri* est un étranger pur et simple : une personne inconnue, suspectée d'hostilité, socialement inexistante, et parfois considérée comme dangereuse ; dont on évitera même de fréquenter leurs villes (Jg 19, 12). *Nokri* est régulièrement retrouvé dans un contexte de promesse divine (Es 56, 3) ou dans un contexte d'interdit (Ez 44, 9).

Excursus II. Le Moyen-Orient ancien[1]

• Sumer

Dans les textes littéraires écrits en sumérien (la langue de Sumer dans la Basse-Mésopotamie – le sud-est de l'Iraq – aux IVe et IIIe millénaires av. J.-C.) l'étranger est la cible ouverte de critiques acerbes, de moqueries ou autres calembours plus subtils. À l'époque d'Ur III (la troisième dynastie de la ville sumérienne d'Ur, qui domina toute la Mésopotamie d'environ 2112 à 2004 av. J.-C.), on trouve un ethnocentrisme aigu ; l'étranger est une personne qui ignore la langue sumérienne. Aussi se gosse-t-on dans la littérature de ses cris bestiaux.

L'étranger est celui qui provient d'un ailleurs géographique, connu ou inconnu. Parfois la littérature le rend plus clair en indiquant les origines. Lorsque les Sumériens sont heureux de leur civilisation urbaine, ils stigmatisent le « montagnard » le « bédouin ». L'étranger est alors celui qui ignore la chaleur du foyer et la gastronomie. Il ne reconnaît pas le miel et ne goûte pas la bonne pâtisserie. On voit donc les différents critères selon lesquels on a indiqué qui est un étranger. Parfois la peur physique des autres joue un rôle. L'image mentale de l'étranger est une personne hostile et agitée, « barbare » toujours susceptible de descendre dans la plaine comme « ces oiseaux de malheur ». L'étranger est donc déterminé par les notions d'altérité, d'ambivalence, d'hostilité et d'inconnu.

• Akkad

Un peu plus négatif encore, dans le monde autour d'Israël, on trouve une racine de même sens en akkadien (une langue sémitique éteinte qui a été fortement influencée par le sumérien. Elle fut parlée au moins du début du IIIe jusqu'au Ier millénaire av. J.-C. en Mésopotamie) que celle du mot *NeKaR*. Ici on découvre que le mot veut surtout dire ennemi, ce qu'on retrouve nulle part dans l'AT. Les origines du mot *ger* pourrait être trouvée en *garû* en akkadien, également dans le sens d'ennemi ou d'opposant.

Poursuite

Les *nokri* sont les étrangers de passage, qui ne résident que temporairement dans le pays et peuvent profiter des traditions hospitalières connues dans tout le Moyen-Orient (les gens de Bééroth en 2 S 4,3 ; et les réfugiés de Moab en Es 16, 4) ; par contre, on peut leur concéder des prêts à intérêt, ce qu'on ne peut pas faire avec un compatriote (Dt 23, 21). Cependant dans un récit connu (voir ci-dessus Jg 4 et 5), Jaël viole cette hospitalité d'une façon impitoyable, quand elle invite le général Sisera sous sa tente pour se reposer et le tue ensuite avec un piquet de sa tente. L'unique explication acceptable que l'on peut donner à ce crime, est la situation ultra dangereuse pour le peuple israélite ; mais vu le déroulement de la bataille, cette explication ne nous semble pas très fondée. Une autre explication du comportement de Jaël est que l'hospitalité n'était garantie que pendant la nuit, jusqu'au lever du soleil, alors que Jaël avait tué Sisera après la première lueur de l'aube (il y a des toiles qui montrent cette agression au petit matin). Mais dans le texte de Juges 4 nous ne trouvons aucun indice pour cette exégèse.

Les *gerim* sont soumis à un chef israélite, mais ils ont une certaine liberté personnelle, car ils ne sont pas esclaves. Or, ils n'ont pas de droit de propriété sur la terre du pays d'Israël. Bien que ces étrangers ne fassent pas partie de leur peuple, il n'est pas permis aux Israélites de les exploiter, opprimer ou maltraiter (ainsi Ex 22, 20ss. et 23,9). Cependant, l'étranger étant membre de la famille élargie, il est obligé de tenir le Sabbath (Ex 23, 12 ; 20, 10, conformément au quatrième commandement de la décalogue). D'autre part il lui est interdit, s'il n'est pas circoncis, de manger l'agneau pascal (Ex 12, 45-49).

Le fondement de la position de l'étranger en Israël se trouve dans l'idée que les patriarches des Israélites étaient eux-mêmes des étrangers, soit en Palestine en leur temps, comme Abraham (voir la parole divine à Moïse en Ex 6,4), ou ailleurs (Gn 12, 10 ; 17, 8 ; 19, 9 ; 20, 1 ; 23, 4 ; 35, 27 ; 47, 4). De même que le peuple Israélite était étranger en Égypte, d'où la législation qui interdit d'opprimer celui qui cherche l'hospitalité parmi eux (Ex 22, 21 ; 23, 9). Les Israélites se savaient également des étrangers dans ce monde. Car dès ses origines, les patriarches Abraham (comme archétype en Gn 12, 10 ; 23, 4 ; voir aussi He 11,9) et Jacob, se trouvaient à un certain moment de leurs vies en Égypte. C'est dans ce pays que le peuple Israélite est né. Dans un texte majeur de la Thora, ceci est présenté comme un credo : « Mon père était un Araméen errant. Il est descendu en Égypte, où il a vécu en émigré avec le petit nombre de personnes qui l'accompagnaient » (Dt 26, 5). Dans le préambule des Dix Commandements (en Ex 20 et en Dt 5), nous retrouvons ce thème du séjour en Égypte : « C'est moi le Seigneur ton Dieu, qui t'a fait sortir du pays d'Égypte, de la maison de servitude ». Tout ceci implique que les Israélites doivent avoir une attention particulière envers l'étranger qui vit parmi eux ; à part le fait que ce genre d'hospitalité appartient aussi à la culture du Moyen-Orient. Cependant la traduction par « ennemi » du terme akkadien *garû* nous montre qu'on ne voyait pas toujours aussi positivement les étrangers et ceux qui arrivaient dans les communautés existantes de cette partie du monde. Mais comme le lecteur le sait, cette façon de penser et de parler n'est pas limitée aux temps passés, comme l'ecclésiaste le dit *Nihil novum sub sole*, « Rien de nouveau sous le soleil » (Qo 1, 9).

Une étape suivante dans le développement des idées théologiques énonce qu'Israël en soi est un étranger dans le pays qu'il habite (Lv 25, 23). Il n'en est pas le propriétaire ; la terre appartient à Dieu ; c'est Lui, l'hôte, qui offre sa protection et son hospitalité au peuple élu (Pss 39, 13 ; 61, 5 ; 119, 19). Quand les étrangers occupent le pays, donné par Dieu aux Israélites (Lm 5,2), Il est courroucé. Le peuple se rend compte que c'est son propre Dieu qui les envoie et leur permet de faire ce qu'ils font. Le désastre est d'autant plus grand quand Dieu punit son peuple en le laissant exiler vers des pays lointains et étrangers (Jr 5, 19 et Dt 29, 28). La relation entre le peuple et sa terre est rompue, et de nouveau le peuple est lui-même étranger. La Bible suggère que le comportement du peuple Israélite et de son Dieu vis-à-vis de l'étranger est différent de celui des autres nations. Car l'étranger est à la merci des impies ; comme on peut voir, par exemple, dans la narration de Loth chez les Sodomites (Gn 19, 9) et celle du lévite, qui est menacé par les benjaminites (Jg 19, 22) [ceux-ci étant cependant membres d'une tribu d'Israël].

Les Israélites pieux se considéraient parfois comme des étrangers qui ne résidaient que provisoirement dans le monde de Dieu. Comme Dieu le dit : « Car le pays est à moi ; vous n'êtes chez moi que des émigrés et des hôtes » (Lv 25, 33), et le peuple l'expérimente « car je ne suis qu'un invité chez toi, un hôte comme tous mes pères » (Ps 39, 13). L'Israélite se sent complètement dépendant de la grâce de Dieu, comme l'étranger *(ger)* dépend de ceux parmi lesquels il habite. Et pour la descendance des patriarches et du peuple en Égypte comptait donc l'obligation de soutenir l'étranger « afin qu'il puisse survivre à tes côtés » (Lv 25, 35ss) ; et cette vie se réalise d'une telle façon qu'il peut aussi profiter de l'année sabbatique (chaque septième année, la terre observera un repos sabbatique ; Lv 25,6). En plus de ceci, il a, comme les Israélites, droit d'asile dans les six villes de refuge en cas d'accident mortel (Nb 35, 15). En résumé, il est protégé par les mêmes droits que la veuve et l'orphelin (Ex 22, 20s.) ; et Dieu l'aime comme Il aime ceux-ci (Dt 10, 18). La position de l'étranger est fortement marquée dans les phrases suivantes : « Quand un émigré viendra s'installer chez vous, dans votre pays, vous ne l'exploiterez pas ; cet émigré installé chez vous, vous le traiterez comme un indigène, comme l'un de vous ; tu l'aimeras comme toi-même ; car vous-mêmes avez été des émigrés dans le pays d'Égypte » (Lv 19, 33-34).

Le comportement des Israélites envers les étrangers pourrait avoir des éléments positifs. C'est un signe de grande sagesse, que celle de Salomon d'inclure ceux qui n'appartiennent pas au peuple Israélite, dans la prière à la consécration du temple à Jérusalem (1 R 8, 41-43) : « Même l'étranger, lui qui n'appartient pas à Israël, ton peuple, s'il vient d'un pays lointain à cause de ton nom – [...] – s'il vient prier vers cette Maison, toi écoute depuis le ciel, la demeure où tu habites, agis selon tout ce que t'aura demandé l'étranger ». Évidemment avec l'intention de Salomon que Dieu exauce les prières des étrangers afin que « tous les peuples de la terre connaissent [son] nom... » La foi en Dieu doit se propager sur toute la terre par le fait que les étrangers découvrent que Dieu est un

Dieu pour tous et son temple est pour chaque homme la maison de rencontre avec Lui.

Malgré tout, l'attitude envers les étrangers change dans la période postexilique : une certaine hostilité surgit. Selon les conceptions théologiques de ce temps, le peuple juif devait rester pur, sans se mélanger avec d'autres peuples. C'est ainsi qu'on trouve une liste des Juifs fautifs, qui avaient pris pour épouses des femmes étrangères (Esd 10, 18-44). Et dans le livre de Néhémie nous lisons que, parmi les dernières réformes de celui-ci, la séparation des hommes de sang pur et de sang mélangé était instituée (Ne 13, 3). On voit ici une théologie double, d'une part, Dieu est le Dieu de toutes les nations, mais en même temps son peuple élu doit rester pur, donc sans se mélanger avec d'autres peuples ; les mariages mixtes étaient donc interdits. Tandis que dans le judaïsme (après l'exil babylonien) les prescriptions relatives à la pureté jouaient un rôle de plus en plus important et l'écart entre les Juifs et le reste du monde s'approfondissait, le *ger* fut de plus en plus intégré à la vie de la communauté juive. Il suivit alors la Loi, il participa aux sacrifices, et il célébra les grandes fêtes (voir Nb 15, 15s et 30 ; Dt 16, 10s et 13s). En acceptant la circoncision et en fêtant Pâques, il fut incorporé dans la nation Israélite. Ainsi nous approchons la signification du mot *proselytos* du début de notre ère ; c'est à dire : appartenant au judaïsme.

Dans le NT, le mot étranger *(xenos)* concerne surtout l'hospitalité et l'accueil qu'on fait aux autres. Dans le grand discours de Jésus sur le jugement dernier (Mt 25,

31-46), ce mot renvoie au comportement des hommes envers lui : ont-ils montré de l'hospitalité ; car accueillir une personne inconnue, c'est héberger Jésus lui-même. Ce motif d'hospitalité se retrouve partout dans les évangiles, également quand Jésus est concerné et qu'il expérimente, à plusieurs reprises, un accueil chaleureux chez ceux qu'il rencontre en route (Mc 1, 29 ss. ; Mc 2, 15 ss. ; Lc 7, 36 ss. ; Lc 10, 38 ss.). Dans ses paraboles Jésus se sert aussi de ce thème (Lc 10, 29-36 ; Lc 11, 5 ss.). Jésus compte sur l'hospitalité des gens qu'ils rencontreront, quand il envoie ses disciples en mission. Il leur interdit d'emporter bourse, sac, ou sandales, mais leur dit de trouver des hommes de paix, chez qui ils peuvent séjourner et se reposer (Mt 10, 11 ss. // Lc 10, 5 ss.). Plus tard, après la première Pentecôte, les apôtres reçoivent, eux aussi, l'hospitalité : Simon Pierre chez un certain Simon (Ac 10, 6) ; Paul et Silas chez Lydie (Ac 16, 15) ; Paul chez Gaïus (Rm 16, 23).

Un sens complètement neutre pour le mot *xenos* est trouvé dans le récit sur les grands prêtres qui vont acheter avec l'argent donné à Judas pour trahir Jésus et qu'il avait jeté dans le temple, « le champ du potier pour la sépulture des étrangers » (Mt 27, 7). Il y avait toujours des visiteurs d'origine étrangère et non-juifs qui décédaient à Jérusalem, c'est pour pouvoir les enterrer que ce cimetière a été créé.

Quelques fois le NT donne un sens plus religieux au terme *xenos* quand un de ses auteurs, dans ce cas l'apôtre Paul, en réfère aux chrétiens d'origine païenne comme des étrangers, disant : « Et c'est grâce à lui [le Christ] que les uns et les autres, dans un seul Esprit, nous avons accès auprès du Père. Ainsi, vous n'êtes plus des étrangers, ni des émigrés ; vous êtes concitoyens des saints, vous êtes de la famille de Dieu » (Ep 2, 19). Les chrétiens d'origine juive et d'origine païenne sont unis en Christ dans son Église. Donc la séparation religieuse entre Juifs et païens est finalement abolie. Le mot *paroikia* se trouve surtout dans des citations de l'AT dans le livre des Actes : Ac 7.6 qui cite Gn 15, 13 ; Ac 7, 29 citant Ex 2, 15 ; Ac 13, 16 ss. référant à Israel en Égypte. Ces trois textes ne donnent aucun autre sens à la notion d'étranger.

En résumé nous pouvons dire que la situation des étrangers parmi le peuple israélite est relativement positive ; ils sont protégés par la législation, mais n'ont pas une position forte. C'est surtout l'hospitalité qui compte, leur donne un endroit pour vivre, un temps de repos et de la nourriture en cas d'urgence.

Récits bibliques concernant les étrangers

À part cette généralisation un peu technique de la notion d'étranger, nous trouvons une quantité non négligeable de récits dans lesquels figurent des étrangers comme personnages centraux. Il est intéressant de voir quelle image ces récits nous donnent de l'étranger dans sa position et sa fonction dans la société israélite.

• Hagar (Gn 16 et 21, 8-21)

Hagar est la servante d'origine égyptienne de Saraï, l'épouse d'Abram. Celle-ci étant stérile cherche une solution pour donner une descendance à son époux, et lui propose Hagar. Son opinion n'étant pas demandée, on peut supposer qu'elle était une esclave, dont la maîtresse pouvait disposer à son gré. Abram l'accepte, fait d'elle sa femme, et elle tombe enceinte. Et ici l'histoire tourne mal, car « Quand elle [Hagar] se vit enceinte, sa maîtresse ne compta plus à ses yeux » (Gn 16, 4). Saraï se plaignit à Abram, qui lui donna la liberté de faire avec Hagar ce qu'elle voulait. Et donc « Saraï la maltraita et celle-ci prit la fuite » (v. 6). Hagar rencontra un ange de Dieu près d'une source, qui la renvoya chez sa maîtresse en disant « plie-toi à ses ordres » (v. 9). Puis elle retourna chez Saraï et enfanta un fils, qu'elle appela Ismaël. Ce n'est qu'après la naissance d'Isaac, le fils d'Abraham et Sara (ils avaient changé de noms entretemps), qu'une nouvelle confrontation entre les deux femmes se présenta. Car Sara avait peur que le fils d'Hagar, Ismaël, partage avec son fils Isaac le futur héritage d'Abraham. Elle demanda à Abraham de chasser sa servante et son fils, ce qu'il ne souhaitait pas car il reconnaissait Ismaël comme son fils (Gn 21, 11). Après une intervention divine, il céda à la demande de son épouse et il envoya Hagar et Ishmaël dans le désert de Béer-Sheva, où elle faillit mourir de soif. Une nouvelle intervention divine lui fit voir un puits et ils furent sauvés.

Que nous apprend ce récit de la position de l'étranger ? D'abord qu'elle était très fragile, et qu'elle dépendait totalement du bon-vouloir des maîtres. On peut simplement dire que l'étranger, l'esclave, n'avait aucun droit. Son existence, sa vie et sa mort, était entre les mains de ceux qui le possédaient. La dominance qui résulte en la fertilité d'une femme sur la stérilité de l'autre, évoque l'importance de la progéniture pour les gens à cette époque.

Une remarque sur les interventions divines. À plusieurs reprises un ange de Dieu joue un rôle actif de conseiller pour Hagar. On peut se demander si nous trouvons ici une correction théologique dans la narration du comportement néfaste, presque meurtrier, d'Abraham et Sara. Dans ce sens, Dieu corrige d'abord la mauvaise attitude d'Hagar (quand elle, désobéissante à sa maîtresse maltraitante, s'enfuit), mais prend son parti ensuite lorsqu'elle et son fils sont en train de mourir de soif, envoyés comme ils le sont par Abraham dans le désert.

L'image de l'étranger dans cette narration est assez neutre (la position sociale de l'esclave n'est pas améliorée), mais la Bible accentue la protection divine pour cet être humain. Ici on voit tout de même, que faire partie d'une grande famille ne protège pas contre les changements d'humeur de son chef. En plus porter l'enfant du chef ne donne pas à l'esclave, Hagar, une position plus forte ou une protection particulière par la loi ou les traditions ; elle reste une esclave sans droits. Et même son fils, Ishmaël, reconnu par Abraham comme le sien, ne peut pas en obtenir une position protectrice contre les aléas émotionnels de son père ou de son épouse. Cependant le texte suggère qu'Ishmaël a droit à (une partie de) l'héritage d'Abraham. Donc le droit d'héritage en quelque sorte existe et n'est pas contrarié (dans ce cas par Sara), mais son application dans cette situation concrète et surtout les conséquences manquent pour avoir la vie sauve.

• Rahab la prostituée (Jos 2 et 6, 22-27)

Cette femme étrangère est une prostituée. Lorsque le peuple israélite venant du désert approche de la grande ville réputée imprenable de Jéricho, le chef des Israélites, Josué, pense sage d'envoyer deux espions en reconnaissance. Ils doivent le faire discrètement, mais sont tout de même démasqués lorsqu'ils passent la nuit dans la maison de Rahab, une prostituée. Le roi de Jéricho, mis au courant, ordonne de les arrêter chez Rahab ; mais celle-ci les cache sur sa terrasse, dissimulés dans des tiges de lin. Elle envoie leurs poursuivants les chercher hors des murs de la ville. Revenue près des deux Israélites, elle déclare sa foi en leur Dieu et leur demande d'être sauvée lors de la prise de la ville de Jéricho par leur armée. Les deux hommes acceptent, elle les fait descendre le long du mur de sa maison à l'aide une corde. Ayant dû se cacher pendant trois jours, les deux hommes rentrent au camp de Josué, et lui rapportent ce qu'ils ont vu et vécu.

La conséquence est que cette femme, Rahab, ses parents, ses frères et ses possessions – « tous ceux de son clan » dit la Bible –, rassemblés dans sa maison, reconnaissable par un cordon écarlate, sont sortis de la ville de Jéricho avant que les Israélites n'y mettent le feu pour la détruire (Jos 6, 23 s.). Ce clan de Rahab était d'abord installé en dehors du camp d'Israël (v. 23b.), mais ensuite il vécut au milieu d'Israël.

Voici un clan étranger qui par un acte salvateur devient partie du peuple israélite et d'une telle façon que Rahab, la personne qui en est l'origine, devient la mère de Booz, l'arrière-grand-père de David (voir la généalogie de Jésus en Mt 1, 5a.). En fait, la Bible nous ne raconte pas comment ce clan a été intégré au le peuple israélite, mais par la déclaration de foi en Dieu de Rahab (Jos 2, 9-14) on peut s'imaginer que ceci suffisait pour les Israélites à l'accueillir parmi eux, elle et toute sa famille. Donc une personne qui fait du bien pour un membre du peuple israélite et qui reconnaît le Dieu d'Israël, n'est plus un étranger, mais s'intègre dans les traditions d'Israël.

• Ruth (Livre de Ruth)

Le livre de Ruth est classé parmi les livres historiques de l'AT chrétien et parmi les livres des Ketouvim (les Écrits) dans le Tenach (l'édition juive de l'AT). Il appartient aux Meguilot (les cinq rouleaux). De quelle époque date ce sublime exemple de l'art de conter hébraïque, cela n'est pas tout à fait défini, mais il nous semble presque sûr qu'il date du temps des rois. La narration sur Ruth est placée dans un contexte historique ; celui de l'époque où les Juges dirigeaient le peuple d'Israël. Et il s'agit de montrer comment une femme étrangère est devenue membre du peuple israélite et ainsi l'arrière-grand-mère du fameux roi David. Ruth est vraiment une étrangère car elle est originaire d'une nation qui était pendant des siècles ennemie d'Israël.

Le livre de Ruth nous raconte comment une famille israélite émigra dans le pays voisin, Moab, à cause d'une famine. Là-bas les deux fils se marient avec deux filles moabites. D'abord le père meurt puis les deux jeunes hommes. La mère, Noémi, reste donc seule avec les deux belles-filles, Orpa et Ruth. La belle-mère, veuve, veut rentrer dans son pays et sa ville d'origine, Bethléem. Elle l'annonce aux deux femmes en y ajoutant qu'elles peuvent rester en Moab pour y trouver un nouveau mari. Une des deux, Orpa, décide de rentrer chez elle ; l'autre, Ruth, suit Noémi sur le chemin du retour vers son pays. Elle lui adresse des mots sublimes : « où tu iras j'irai, et où tu passeras la nuit je la passerai : ton peuple sera mon peuple et ton dieu mon dieu ; où tu mourras je mourrai, et là je serai enterrée. Le Seigneur me fasse ainsi et plus encore si ce n'est pas la mort qui nous sépare » (Rt 1, 16 s.).

Et réellement, arrivée dans le pays, Ruth montre comment elle est prête à s'adapter aux coutumes de sa nouvelle nation. Selon le droit des pauvres, elle va glaner des épis dans les champs derrière les moissonneurs. Elle trouve la propriété d'un membre de la famille de feu son beau-père, Booz. Celui-ci la protège et l'aide dans ses activités. Et quand Ruth lui demande : « Pourquoi m'as-tu considérée avec faveur jusqu'à me reconnaître, moi une inconnue ? » (Rt 2, 10), Booz lui répond : « On m'a conté et raconté tout ce que tu as fait cnvers ta belle-mère après la mort de ton mari, comment tu as abandonné ton père et ta mère et ton pays natal pour un peuple que tu ne connaissais ni d'hier ni d'avant-hier » (Rt 2, 11). C'est une remarque importante car « moi une inconnue » implique l'absence complète de statut pour Ruth (elle est une *nokri*), mais sa position change par l'intervention personnelle du protecteur, Booz. Plus tard les deux passent la nuit ensemble, sur le conseil de Noémi, la belle-mère. Et, après une petite démarche juridique sur les ayant-droits et les obligations du rachat d'un terrain, Booz devient l'époux légal de Ruth. De ce mariage naît donc Oved, le père de Jessé, le père de David.

Que montre cette narration ? D'abord qu'il n'y a aucun empêchement qu'une femme étrangère ne devienne la (arrière-grand-) mère du roi-par-excellence, David. Mais ce n'est pas pour rien que dans bouche de Ruth le narrateur a mis cette phrase, « ton peuple sera mon peuple et ton dieu mon dieu ». Cette façon d'acculturisation est appréciée en Israël ; d'autant plus que la Moabite s'adapte parfaitement aux us et coutumes de son nouveau peuple observant le droit de glaner des épis et la législation concernant le rachat. Elle jure même devant le Seigneur, le Dieu d'Israël et l'invoque comme son témoin. Donc elle fait tout pour devenir vraiment membre du peuple israélite. Elle peut facilement être intégrée au peuple élu de Dieu.

Dans la suite de l'AT, quand les femmes étrangères de Salomon gardent leurs propres dieux et font construire les sanctuaires pour eux dans la ville de Jérusalem, c'est mal perçu par Dieu (1 R 11, 1-13). Les conséquences, selon les auteurs de cette histoire, sont grandes et néfastes car Dieu ôtera la plus grande partie de la nation des mains de son successeur, Roboam.

Or, dans la généalogie de Jésus en Matthieu 1, 1-17, Ruth figure, avec quatre autres femmes, parmi les ancêtres de Jésus : Thamar la veuve d'Er, le fils de Juda (Gn 38), Rahab la prostituée (Jos 2 et 6, 22-27 ; voir le paragraphe précédente), la reine Bethsabée – appelée ici « la femme d'Urie » – (2 S 11 et 12), et Marie. Donc Ruth, étrangère comme Rahab, a obtenu une position particulière dans l'histoire du peuple Juif ; sans doute par sa fidélité à Israël et son comportement irréprochable envers les membres de sa famille.

• L'Amalécite (2 S 1,1-16)

Cette histoire se joue dans la ville de Ciqlag, où David avait trouvé refuge sous le règne de Saül, qui cherchait à le capturer. C'est après la grande bataille entre Saül et les Philistins sur la montagne de Guilboa qu'un jeune homme arrive chez David avec des vêtements déchirés et la tête couverte de terre, une habitude israélite pour montrer son deuil. L'homme, admis chez David qu'il traite comme un roi, raconte comment il s'est échappé du camp de l'armée israélite, comment celle-ci a été battue par les Philistins ; et que le roi Saül et le prince héritier, Jonathan, sont morts.

Répondant à la question de David, comment sait-il qu'ils sont morts, l'Amalécite dit qu'il était accidentellement près du roi Saül, qui lui demanda de le tuer ; ce qu'il a ensuite fait. Il a pris le diadème de la tête du roi, ainsi que son bracelet, et les a apportés à David. Après une journée de deuil, David parle de nouveau avec le jeune homme et lui demande ses origines. Celui-ci répond qu'il est le « fils d'un émigré amalécite » (2 S 1, 13) ; donc une personne qui profite de l'hospitalité des Israélites. David dans son rôle de juge, donc comme roi, formule l'accusation : « Comment ! Tu n'as pas craint d'étendre la main pour tuer le messie du Seigneur ? » Et ensuite il le condamne à mort avec les mots « Que ton sang soit sur ta tête, car tu as déposé contre toi-même… », et David laisse un de ses garçons l'exécuter sur place.

Voici un récit, dont il n'est pas évident que le meurtrier de Saül soit un étranger ait changé sa condamnation à mort. Par contre, que David le juge après qu'il a déclaré être d'origine amalécite, suggère qu'un vrai Israélite n'aurait jamais touché au roi, qui est un oint de Dieu. Le fait que Saül ait demandé lui-même au jeune homme de le tuer n'influence pas ce jugement, car selon David, on ne touche pas au messie de Dieu. On pourrait même dire que le jeune homme n'a pas respecté les lois et coutumes de sa nation d'adoption.

• Naäman le Syrien (2 R 5)

Parmi les histoires les plus intéressantes en rapport avec les étrangers figure celle-ci, concernant le chef de l'armée du roi d'Aram, un état ennemi d'Israël. Il est atteint par la léprose, qui fragilise, comme partout, sa position dans la société. Car il devient, à cause de cette maladie, un danger pour la société entière, simplement par une contamination présumée. Dans sa maison se trouve une jeune esclave Israélite, une victime de razzia et donc, par conséquent, des activités de son maître. Ici se trouve, bien caché d'ailleurs, un message biblique : La jeune fille israélite est prête à aider un étranger à guérir en l'envoyant chez le prophète israélite, Élisée. Elle réalise le sens de la parole de Jésus : « Aimez vos ennemis ».

Son opposant narratif est un autre Israélite : le roi d'Israël, qui ne connaît pas de prophète capable de guérir, dans son propre pays. Le roi est horrifié par la demande d'aide de son homologue syrien. Le roi ne voit pas de vérité dans la demande ; il pense à une ruse du roi de Syrie pour le mettre en danger. Pour lui l'étranger, le roi de Syrie, reste l'ennemi. Il ne se rend pas compte que cette demande est d'abord un appel à l'humanité et à la fraternité. Alors, au lieu d'être ennemis, les deux rois seront unis dans un effort d'aide à une troisième personne ; ainsi surmonte-t-on les oppositions. Mais le roi Israélite anxieux est corrigé par le prophète Élisée. Alors que le roi affirme qu'il n'est pas Dieu, Élisée lui répond, mais Dieu se fait représenter par moi, son prophète, donc tu n'as rien à faire avec la guérison de ce général syrien. Vraisemblablement le fait que Naamân soit Syrien ne joue pas pour le prophète. Sauf que le Syrien doit accepter la façon originale qu'Élisée approche sa personne et sa maladie et la façon dont il veut arriver à la guérison. Élisée ne traite pas le général comme celui-ci l'aurait voulu, avec des égards, avec un grand accueil (le tapis rouge), etc. Non, le général reçoit le traitement à suivre de la bouche d'un serviteur du prophète. Le prophète Élisée, est-il maladroit, sans respect pour l'autorité du général ? Non, il est surtout modeste, car ce n'est pas lui qui va guérir le général syrien, mais Dieu lui-même. Il ne fait ni prières publiques ni gestes ou manipulations, comme le général l'aurait voulu ; car Dieu agit de sa propre façon. C'est du Dieu d'Israël, que le général doit découvrir la puissance et la grandeur. C'est Lui que le général doit remercier et louer. La guérison est un signe du Dieu puissant et miséricordieux sans exception, sans limites ; car Dieu n'est pas un Dieu national. Et ici se présente une divergence ; car Naamân veut être traité par le prophète comme un homme de son rang est traité chez lui, dans son pays. Mais le prophète reste absolument maître de la situation et ne se laisse pas entraîner dans une position d'infériorité qui n'est pas la sienne. Il est le prophète de Dieu et l'homme, qui se pense supérieur, doit se prosterner devant ce Dieu.

Naamân le reconnait après sa guérison : « Maintenant, je sais qu'il n'y a pas de Dieu sur toute la terre si ce n'est en Israël » (2 R 5, 15). Et par la phrase « Quand donc je me prosternerai dans la maison de Rimmôn [sc. car son maître s'appuie sur son bras], que le Seigneur daigne pardonner ce geste à ton serviteur » (2 R 5, 18b), il montre qu'il s'est converti à la foi israélite. En fait il est devenu un étranger acceptable pour les auteurs de la Bible ; car il est une personne qui accepte la grandeur du Dieu d'Israël dont il a expérimenté la puissance.

• Le Kushite Ebed-Mélek (Jr 38 en 39)

Le prophète Jérémie est, une fois de plus, en conflit avec la cour royale de Jérusalem ; cette fois-ci, il incite la population de la ville à la quitter pour sauver sa vie. Selon ses adversaires, il démoralise les défenseurs de la ville, donc les ministres suggèrent au roi Sédécias de le mettre à mort. Car pour eux : « Ce n'est pas le bien du peuple que recherche cet homme, mais son malheur » (Jr 38, 4) ; une accusation sévère contre un prophète. Sédécias, le roi, leur répond : « Il est entre vos mains : le roi ne peut rien contre vous » (v. 5). Ainsi ne prend-il pas la responsabilité pour les actes commis ensuite par ses ministres. La question qu'on peut se poser est la suivante : n'est-il vraiment pas en état de protéger le prophète ? Or, les courtisans jettent Jérémie dans une citerne pleine de vase, dans laquelle celui-ci s'enfonce. Un Koushite, Eved-Mélek (son nom veut dire : le serviteur du roi) l'aperçoit et se rend près du roi, qui se trouve à la porte de Benjamin, peut-être pour juger les cas qui lui sont présentés. Ayant entendu le Koushite, qui affirme que Jérémie va mourir de faim, le roi lui donne la possibilité de sauver Jérémie de la citerne. Eved-Mélek réussit avec trois hommes à tirer le prophète de sa prison à l'aide de cordes soigneusement entourées par quelques vieux chiffons, et il le remet sain et sauf dans la cour des gardes.

Ici on voit l'étranger faire quelque chose d'original. Il fait appel au roi sur une décision prise auparavant par ce même roi. Il approche le roi dans son rôle de juge, quand le roi chef de la cour et du gouvernement a fait une énorme erreur. Ce dernier a permis à ses ministres de mettre à mort une personne, sans que lui-même, étant le juge suprême, en ait prononcé la condamnation. Le roi-chef de l'état se présente ici comme faible face à sa cour, mais Eved-Mélek contourne cette situation en faisant appel au roi-juge, qui siège à la porte de la ville où le droit et la justice doivent être rendus. Intelligent et socialement sensible, le Kushite fait réinstaurer l'ordre dans une situation politiquement et juridiquement chaotique, où chacun fait du droit ce que bon lui semble.

L'intervention du Kushite a pour résultat que Jérémie est sauvé et le roi Sédécias cherche une entrevue secrète avec le prophète, durant laquelle Jérémie, au nom du Seigneur, lui donne le choix : rejoins les Babyloniens et tu vivras, ou oppose-toi à eux et tu n'en échapperas pas, et la ville de Jérusalem sera détruite par le feu. Le roi qui donne l'impression d'avoir plus peur de ses compatriotes que des Babyloniens, ne fait rien, et tout se déroule comme Jérémie l'avait prédit. Eved-Mélek, quant à lui, reçoit du prophète le message qu'il ne sera pas livré aux mains des Babyloniens. C'est ainsi que son nom disparait de l'histoire.

Une chose, qui nous frappe pendant la lecture de cet épisode, est la normalité apparente des faits énumérés. L'injustice, l'agressivité humaine, et l'impossibilité d'un changement social (même chez le roi), semblent être des faits acquis. Aucun jugement n'est donné à part celui d'Eved-Mélek, quand il dit : « Mon seigneur le roi, c'est terrible tout ce que ces hommes ont fait au prophète Jérémie ». C'est donc un étranger qui donne un jugement moral de la situation ; en fait l'auteur de ce récit indique que les Israélites étaient sans valeurs, ni humaines, ni éthiques. Une raison supplémentaire à la destruction de la nation.

• La Syro-phénicienne (Mc 7, 24-30 // Mt 15, 21-28)

Une des histoires les plus étonnantes des activités de Jésus est sa rencontre avec une étrangère, une habitante du territoire de Tyr dans le nord de la Palestine. Les deux versions que nous avons de ce récit dans les évangiles de Marc (Mc 7, 24-30) et de Matthieu (Mt 15, 21-28) sont globalement semblables, mais aussi différentes sur quelques points intéressants. Les évangiles nous racontent comment Jésus se retira dans le pays païen de Tyr (et Sidon selon Matthieu ; v. 21). Il rechercha du calme pensant qu'il n'était pas connu dans cette région. Marc dit expressément qu'il entra dans une maison (v. 24), Matthieu l'ignore. Ici déjà nous retrouvons une différente appréciation de l'étranger. Car Matthieu, qui a écrit son évangile surtout pour les chrétiens d'origine juive, considérait probablement le fait que Jésus serait entré dans une maison impure (étranger donc païen), trop choquant pour ses lecteurs. Pour Marc, qui s'adresse plus aux chrétiens d'origine païenne, ceci ne jouait pas ; au contraire, ce fait était un argument de plus pour l'ouverture de la foi chrétienne aux non-juifs.

Jésus cherchait le calme, mais, comme Marc le dit : « il ne put rester ignoré » (v. 24). Donc une femme, qui avait entendu parler de Jésus et de ses capacités et dont la fille avait un esprit impur, l'approcha pour la faire guérir par lui. De nouveau, les évangélistes divergent sur ses origines : Marc la nomme une syro-phénicienne et une païenne (v. 26) ; Matthieu une Cananéenne (v. 22). Ainsi il réfère à l'opposition et – l'hostilité – entre Israël et les Canaanites, qui existait depuis la conquête de la Palestine par Josué. La femme est pour lui non seulement une étrangère, mais aussi la représentante d'un peuple ennemi. Matthieu donne en quelque sorte plus de tension dans le récit et montre avec sa narration que Jésus lui-même surmontait les barrières entre Juifs et païens. La femme implore Jésus de guérir son enfant. Matthieu a rajouté au texte de Marc une petite scène pendant laquelle Jésus ne réagit point à ses cris et ses disciples lui demandent de la renvoyer, « car elle nous poursuit de ses cris » (v. 23). Matthieu suggère-t-il que Jésus ne voulait d'abord vraiment n'avoir rien à voir avec cette païenne ? De telle façon que ses lecteurs comprennent que l'évènement décisif, comme nous pouvons le lire, ne s'est pas passé accidentellement.

Ensuite Jésus prend distance de la femme et de sa demande avec la phrase : « Laisse d'abord les enfants se rassasier, car ce n'est pas bien de prendre le pain des enfants pour le jeter aux petits chiens » (Mc 7, 27). Matthieu formule la réaction de Jésus d'une autre façon : « Je n'ai été envoyé qu'aux brebis perdues de la maison d'Israël » (Mt 15, 24). Et ce n'est qu'après une nouvelle intervention de la femme, qu'il ajoute : « Il n'est pas bien de prendre le pain des enfants pour le jeter aux petits chiens » (Mt 15, 26). Cette différence de présentation pourrait s'expliquer par le besoin de Matthieu d'accentuer la mission de Jésus en explicitant l'expression de Marc, « laisse d'abord les enfants se rassasier », par la constatation que Jésus est venu pour les Juifs égarés. De nouveau Matthieu accentue la différence entre les Juifs et les autres, les païens et les étrangers.

La réponse de la femme est forte : « C'est vrai, Seigneur, mais les petits chiens, sous la table, mangent les miettes des enfants » (Mc 7, 28). Elle ne nie pas la différence et l'écart entre Juifs et autres, mais accentue la relation en évoquant une situation de vie dans la même maison. Qu'importe ce qu'est la position de l'un envers l'autre – Matthieu parle des « maîtres » et Marc des « enfants » vis-à-vis des petits chiens – ils sont membres de la même grande maison, en fait de la même grande famille. Il est évident que Jésus se laisse convaincre par cette femme sur ce point de vue et qu'ainsi le salut en lui est ouvert à tous ceux qui veulent l'accepter. En quelque sorte, dans cette scène, la volonté de Jésus d'accueillir les marginaux, les pauvres, les exclus, les pêcheurs du peuple Juif dans son royaume s'est étendue à ceux qui n'appartiennent pas à ce peuple. Ce n'est pas pour rien que le mot « table » figure dans le récit, car régulièrement Jésus parle du royaume en termes d'un repas ou de la table du festin. Marc et Matthieu ont ainsi accentué le fait que Jésus de son vivant, en rencontrant une femme étrangère et en se laissant convaincre par elle, a pris ce pas décisif qui a mené les apôtres après Pentecôte à la mission vers les païens.

• Les Samaritains

Un groupe particulier d'étrangers dans le NT est formé par les Samaritains (on retrouve le mot Samaritain 22 fois dans le NT). Depuis le retour du peuple juif de l'exil à Babylone, il y a une opposition entre eux et les Juifs. Car pour les Juifs les Samaritains se sont mélangés, pendant la période de l'exil, lorsqu'ils sont restés en Palestine – surtout dans la région de la Samarie –, avec d'autres nations et donc ils ne sont pas restés de sang pur. Par conséquent les Samaritains étaient pour les Juifs du point de vue cultuel et rituel comme des païens ; comme la femme samaritaine le formule en Jn 4, 9 : « Comment ? Toi, un Juif, tu me demandes à boire à moi, une femme samaritaine ! », suivi par la constatation de l'évangéliste Jean : « Les Juifs, en effet, ne veulent rien avoir de commun avec les Samaritains ». Néanmoins les Samaritains [qui existent de nos jours] ont un point commun avec les Juifs : ils vénèrent et essayent de suivre la Thora (les cinq premiers livres de l'AT) dans leur vie journalière et dans leur liturgie.

Nous retrouvons les Samaritains dans quelques récits intéressants : les villageois samaritains qui ne veulent pas accueillir Jésus dans leur village (Lc 9, 51-55) ; la parabole très connue du bon Samaritain (Lc 10, 29-37) ; la guérison des dix lépreux, dont (au moins) un Samaritain (Lc 17, 11-19) ; et la rencontre de Jésus avec une Samaritaine au bord d'un puits (Jn 4, 1-42). Trois de ces quatre récits ont un point commun : ils accentuent que le salut en Jésus vaut aussi bien pour les Juifs que pour les Samaritains.

Mais commençons d'abord avec l'histoire de Jésus, qui n'est pas accueilli dans un village Samaritain, car celle-ci semble parler de l'inverse (Lc 9, 51-55). Jésus est résolument en route pour Jérusalem, pour achever son chemin sur la terre ; et la route la plus directe traverse la Samarie. Jésus envoie des messagers devant lui pour annoncer et préparer sa venue, mais parmi les Samaritains précisément il n'est pas bienvenu. On pourrait en dire deux choses : 1. Les Juifs considèrent les Samaritains comme des païens et ce sentiment a négativement influencé le comportement de ces derniers. Ils sont devenus hostiles à tous les Juifs ; et Jésus faisant partie de ce peuple est traité de la même façon. En tant que Juif, Jésus est aussi l'autre, l'ennemi, bienqu'il s'approche d'eux et cherche un certain contact avec les Samaritains (ici les représentants de tous les hommes). 2. Jésus n'est accueilli nulle part sur la route de son destin et vers l'accomplissement de sa mission parmi les hommes. Les Juifs étaient déjà assez hostiles envers Lui, mais les autres (les étrangers – les païens) aussi ne l'acceptent pas comme sauveur. Ici il ne compte pas pour les Samaritains : les ennemis de mes ennemis sont mes amis… L'évangéliste Luc nous fait savoir que personne ne veut s'identifier avec Jésus et son annonce du royaume de Dieu, ni Juifs, ni païens (représentés par les Samaritains).

Tout de même, il y a un lien unique entre Juifs et Samaritains et Luc l'indique clairement en citant la parabole, celle du Bon Samaritain, un chapitre plus loin (Lc 10, 29-37). Jésus la raconte en répondant à la question d'un légiste : « Et qui est mon prochain ? » (Lc 10, 29). Il y a des dizaines d'explications différentes de cette parabole, qui sont aussi intéressantes qu'inventives, mais ici compte le fait que Jésus met devant le légiste, les auditeurs et les lecteurs de cette parabole, un Samaritain comme quelqu'un qui a compris ce qu'est un « prochain » et le montre en agissant pour sauver la vie d'une victime de bandits. Pourquoi ce Samaritain, peut-on se demander : pour choquer son audience ? Peut-être pas. On pourrait surtout soupçonner que Jésus se sert du Samaritain parce que celui-ci doit, comme les Juifs, s'en tenir aux commandements de la Thora, que Samaritains et Juifs ensemble sont tenus au commandement de l'amour envers Dieu (Dt 6,5 : « Tu aimeras le Seigneur ton Dieu de tout ton cœur, de tout ton être, de toute ta force ») et le prochain (Lv 19, 18b : « c'est ainsi que tu aimeras ton prochain comme toi-même »). Avec comme sous-entendu, si les deux peuples se tiennent à ce commandement qu'ils obtiendront tous les deux le salut dans le royaume de Dieu.

Cette dernière pensée est déjà implicite dans le récit de la guérison des dix lépreux (Lc 17, 11-19) par Jésus. Toujours en route vers Jérusalem (voir Lc 9, 51-55, ci-dessus) en traversant la Samarie, dix lépreux viennent à sa rencontre en le suppliant d'avoir pitié d'eux. Il est évident qu'ils veulent être guéris par lui. Jésus les envoie aux prêtres pour se montrer, ce qu'ils font pour y arriver purifiés. Il n'est qu'une personne sur les dix, qui revient à Jésus pour le remercier pour cet acte de grâce, et elle est samaritaine. Jésus l'appelle « étranger » quand il dit : « Il ne s'est trouvé parmi eux personne pour revenir rendre gloire à Dieu : il n'y a que cet étranger ! » (v. 18), en ajoutant : « Ta foi t'a sauvé » (v. 19b). Le point fort de ce récit est que la guérison – donc le salut et la vie – est offerte à tout le monde, Juifs comme étrangers (représentés par le Samaritain). La foi sauve chacun, sans distinction, qui croit en Jésus et en son Père. On pourrait y ajouter que les étrangers se rendent mieux compte d'un acte de grâce à leur égard, que les Juifs, qui sont trop emprunts de leur appréciation de la bonté divine.

La dernière scène évangélique dans laquelle figure une Samaritaine est celle où Jésus se trouve au puits dans une ville de Samarie appelée Sychar (Jn 4, 1-43). Ce long récit contient plusieurs thèmes : l'opposition nationaliste et religieuse entre Juifs et Samaritains ; le double sens théologique créé par Jésus de l'eau, qui résulte de l'incompréhension de la femme de ce mot ; la confrontation par Jésus de la femme et de sa situation sociale, célibataire sans s'en tenir au célibat ; la mission de Jésus, étant Juif, pour accomplir sa tâche divine : être le Messie, aussi pour la femme samaritaine ; un enseignement à ses propres disciples sur la nourriture spirituelle et sur la moisson des croyants par eux ; et finalement l'accueil chaleureux de Jésus par les Samaritains de la ville de Sychar et leur foi en lui.

Ici nous voyons, comme un thème récurrent, l'effort de Jésus pour associer les Samaritains et leur croyance à sa mission de conversion. Le récit nous montre l'ouverture réciproque : Jésus est prêt à parler avec une femme seule, avec une Samaritaine en plus, et avec toute la population d'une ville samaritaine où il demeure pendant deux jours. Du côté des Samaritains, il y a de la bonne volonté à lui parler, à lui raconter honnêtement leur vie, à lui montrer leurs traditions religieuses, à en chercher d'autres pour le rencontrer, l'inviter et l'accueillir parmi eux pendant quelques jours. C'est ainsi que l'écart entre Juifs et Samaritains est effacé, et que le changement religieux et éthique que Jésus cherche à réaliser s'effectue aussi parmi les représentants d'un groupe qui se trouve entre les Juifs et le monde païen.

En Ac 8, 1-18, c'est ce trait d'union entre Juifs et païens que sont les Samaritains, pendant l'évangélisation par Philippe et l'imposition des mains par Pierre et Jean, qui fait que les apôtres prennent le pas définitif vers l'annonce de la bonne nouvelle aux païens partout dans le monde (voir le discours de Pierre en Ac 10, 34-48). Le salut est offert à tout le monde, sans distinction, aux hommes et aux femmes, aux Juifs et aux non-Juifs ou étrangers. Comme nous avons vu ici en lisant les textes avec les Samaritains, mais aussi avec tant d'autres, les portes de l'Église, comme maison des croyants en Dieu et en Jésus Christ, sont ouvertes à chaque homme et chaque femme. Nulle part la vieille opposition entre Juifs et Samaritains, les étrangers, ne jouera un rôle dans l'annonce de l'évangile dans le monde. En fait l'étranger est dans le NT devenu un membre de la famille de Dieu.

Résumé

La Bible nous raconte que Dieu a choisi Israël pour être son peuple préféré, qui servira comme support pour proclamer sa gloire partout dans le monde. Dès Abraham, le salut de tous les hommes dépend de leur comportement et de leur capacité à manifester le dessein de Dieu. Pour y arriver, le peuple israélite, et après l'exil, les Juifs, doivent se montrer fidèles à la loi divine, formulée dans la Thora, et se comporter selon les alliances qu'il a faites avec Dieu. Le peuple ne s'est pas toujours montré, dans l'histoire, capable de se tenir à cette mission divine ; et à travers le temps, la Bible raconte des ajustements de la part de Dieu. En outre, les Israélites, quand ils se rendent compte de la lourdeur de cette tâche, doivent prendre de la distance par rapport aux autres nations. Avec deux risques, soit de vouloir être plus fort que les autres tribus et nations en les vainquant et en les incorporant à la nation israélite, ce qu'on a vu à l'époque des rois d'Israël avec des résultats désastreux, soit de devenir un peuple complètement à part des autres, ce qu'on a vu se développer depuis l'exil babylonien, avec le mépris et une attitude de supériorité envers les autres peuples et cultures. Ce qui menait à un exclusivisme, peu attractif pour les autres hommes. Cependant, au début de notre ère, le judaïsme était une croyance attractive pour beaucoup de citoyens de l'Empire romain ; on dit que dix pour cent de la population y adhéraient.

Or, à l'époque de la formulation des lois, Israël s'est rendu compte de la position particulière des étrangers parmi eux. La Loi, d'origine divine pour eux, impose une attitude étendue à ni l'opprimer ni l'exploiter, et, jusqu'à l'aimer, car « Dieu aime l'étranger ». Avec comme motivation supérieure le constat énoncé par Dieu : vous et vos ancêtres avez été des étrangers, donc acceptez les étrangers parmi vous. À travers les temps, et surtout pendant l'exil babylonien, les Israélites ont découvert qu'ils continueront à être des étrangers, car la terre appartient à Dieu. En relisant et reformulant, à Babylone, leur histoire, ils ont retrouvé les origines nomades de leurs ancêtres, leur séjour dans un pays lointain (l'Égypte) et leur conquête de la Palestine, la terre des patriarches qui leur a été donnée par Dieu. Ils habitaient donc pendant des siècles dans un pays qui n'était religieusement parlant pas le leur (Dieu dit : « La terre du Pays ne sera pas vendue sans retour, car le pays est à moi ; vous n'êtes chez moi que des émigrés et des hôtes » [Lv 25, 23] ; reconnu par David dans sa prière : « Car nous sommes des étrangers devant toi, des hôtes comme tous nos pères » [1 Ch 29, 15] ; voir aussi Ps 39, 13b « car je ne suis qu'un invité chez toi, un hôte comme tous mes pères »). Ils y étaient des immigrés, des étrangers en résidence.

Un autre aspect de ce peuple désigné comme particulier, est le droit du sang : on est membre du peuple élu par le sang. Ce droit s'est développé à travers le temps, surtout après l'exil babylonien. Au début, il était certainement peu usité, mais au fil du temps il est devenu une évidence pour les Israélites ; et avec comme conséquence qu'un non-Israélite restait un *nokri* un étranger. Ce mot est ensuite employé sans ambiguïté et avec des résultats radicaux ; comme, par exemple, en Ne 13, 3, « Lorsqu'ils [les Juifs] eurent entendu cette loi, ils séparèrent d'Israël tout homme de sang mélangé ». Ce n'est que Ruth, comme nous avons lu ci-dessus, qui est un exemple d'étranger bien intégré dans le peuple israélite.

On pourrait dire que, lorsque la Bible se sert du mot *ger* (= étranger), elle parle d'un Israélite ou d'un parent proche, et que les quelques *gerim* personnalisés dans les récits, sont tous rattachés d'une manière ou une autre à Israël. Son statut de *ger* vient du fait que, pour une raison inconnue, il a quitté son lieu d'origine. Il a tout de même le droit de posséder un terrain sur la terre d'Israél, on pourrait dire qu'il a « le droit du sol ». Peut-être le fait que quelqu'un possède ou a possédé une partie du territoire israélite ou la Palestine (ce terme est utilisé ici dans le sens géographique) en fait un *ger* israélite. C'est ainsi avec Abraham (voir Gn 24), qui a acheté la caverne de Makpéla pour y enterrer son épouse morte, Sara. Abraham est alors devenu le premier Israélite, bien qu'étant encore un étranger en Palestine. Par conséquence le *ger* a pour lui le droit du sang.

Or, le mot « étranger » dans l'AT nous met sur un double chemin : celui des personnes d'origine étrangère, qui se trouvent parmi les Israélites et celui du peuple juif lui-même non-propriétaire de la terre qu'il habitait. Cette dernière acception a, entre autres notions théologiques, contribué au fait que les Juifs se sont répandus partout sur la terre comme des étrangers et des migrants et ont, comme peuple, survécu plus de deux millénaires jusqu'à nos jours.

Le NT s'appuie sur cette même pensée : le croyant en Jésus, le chrétien, est lui aussi en quelque sorte un étranger dans le monde. En l'épître aux Hébreux, l'auteur se réfère à Abraham, qui « vint résider en étranger dans la terre promise… » (He 11, 9) et de lui et de tout ceux qui se sont endormis dans l'attente d'une patrie, il dit : « en fait c'est à une patrie meilleure qu'ils aspirent, à une patrie céleste » (He 11,16). Le croyant, comme successeur d'Abraham, est ainsi en quête de cette nouvelle terre que Dieu lui montrera dans l'avenir. Les chrétiens ne s'installent pas définitivement ici-bas, mais se savent en perpétuelle migration : « Car nous n'avons pas ici-bas de cité permanente, nous sommes à la recherche de la cité future » (He13, 14).

Comme nous avons vu ci-dessus dans les textes du NT, de l'idée de l'étranger ne reste que l'accueil et l'hospitalité qu'on lui doit ; et d'un point de vue religieux, les étrangers, c'est-à-dire les non-Juifs, seront autant accueillis dans l'Église que les Juifs ; car la différence n'existe plus. Tous sont à la recherche de cette terre, cette patrie, cette cité, que Jésus appelle le royaume de Dieu ou le royaume des cieux (chez Matthieu). Depuis, pour les chrétiens, il leur est impossible de considérer que l'étranger est celui qui ne leur ressemble pas. Le chrétien « ne fait plus de distinction entre l'autre dont la ressemblance apparente inspire confiance et l'autre dont la différence trop évidente fait peur. Aussi se trouve-t-il en accord avec tous les étrangers et migrants, prêt à reconnaître en eux des sœurs et des frères. En ce sens, il n'est pas loin du Royaume annoncé par Jésus. Car, qu'est ce Royaume, sinon un vivre ensemble où l'on rend leur place à celles et ceux que les sociétés humaines ne cessent de reléguer à la marge[2] ». Mais on peut se poser la question si, dans une société moderne où la vie citadine est devenue prédominante et s'atomise de plus en plus, tout le monde n'est pas devenu un étranger dans sa propre ville, dans son propre pays, dans son monde…

SYNTHÈSE

Dans cette première partie nous avons vu et étudié quelques mots importants de la Bible : la paix, la violence, la guerre, l'ennemi et l'étranger. Ces cinq mots nous ont conduits sur un large terrain de pensées théologiques, éthiques et sociales. Comme nous le verrons dans le chapitre suivant, la Bible, en temps que livre, débute par un texte de paix que nous lisons comme point de départ et base de toute pensée biblique concernant la volonté de Dieu et ses intentions envers sa création et ses créatures. Dieu a crée la terre et tout ce qui est dedans ; et son intention dès le début est la paix sur cette terre. Ce mot est développé dans les textes qui suivent, de la création jusqu'à la fin du livre. Le sens du mot paix dans la Bible est assez large : une simple salutation journalière, mourir et être enterré en paix comme un don divin, l'absence de guerre, ce qui implique pour les habitants d'un pays une vie sans conflits ; donc vivre dans la quiétude, sans être dérangés par des attaques ennemies. Parfois, dans un contexte juridique, le mot « paix » veut dire une compensation pour une faute ou une erreur commise. Ce sens s'approche de la notion de base de ce mot, de totalité, d'arrondi, d'entier et de non partagé. Un pas plus loin, nous arrivons au sens d'être dans un « état de grâce ». La personne qui se trouve dans cet état de bien-être, est en paix avec ceux qui l'entourent. Entre deux parties, individus ou nations, se manifeste de la paix et par conséquent de l'amitié. La Bible nous dit que c'est Dieu qui donne la paix aux hommes, maintenant et dans l'avenir, quand Il enverra un roi juste pour remettre la paix, la justice, la prospérité, parmi les Israélites.

Le NT précise ces notions de paix. Elle est une situation personnelle de bien-être, de vie en une relation pacifique avec Dieu. L'homme en paix est un être non violent, qui aime ses ennemis, ses amis. Les situations où la paix ne se manifeste pas sont surtout celles où existent un conflit entre les croyants en Jésus et les pouvoirs noirs de ce monde. Ainsi la guerre est devenue quelque chose d'entièrement spirituel, dans laquelle c'est Dieu qui en aidant les croyants leur donne la victoire et la paix. Or, la paix n'est pas qu'un don particulier de Dieu. Car le croyant en Jésus et en Dieu a pour mission de faire la paix entre les hommes. Et cette paix n'est pas facilement réalisable, car, comme l'exemple de Jésus le montre – il donne sa vie pour ses amis – elle demande la victoire sur la mort, sur les pouvoirs noirs, et sur sa propre angoisse. C'est ainsi que l'homme trouve la paix en lui-même, avec autrui et avec Dieu.

Néanmoins cette intention divine la Bible est suffisamment réaliste. Bien que l'homme ait obtenu la terre pour y vivre et la nature pour s'en nourrir, il y a quelque chose en lui qui s'oppose à une vie paisible. Jalousie, agressivité, désirs sont autant de notions que la Bible retrouve dans le comportement humain et qui mènent à des situations terribles : le premier homme et la première femme n'obéissent pas à Dieu, les premiers enfants s'entre-tuent, les premières générations se comportent d'une telle façon que Dieu regrette de les avoir créées. Le thème de la violence humaine se montre partout dans la Bible. Nous le retrouvons dans les relations entre individus, entre groupes, entre nations. Si nous nous concentrons sur les guerres dans la Bible, l'agression et la violence humaines en remplissent les pages. Les textes réfèrent (on dirait presque trop) régulièrement à la violence physique et psychologique.

Selon la Bible, les hommes montrent un comportement violent en opposition à la volonté pacifique de Dieu. La notion de violence signifie : le mal, la douleur, la répression, la destruction, le faux témoignage, l'injustice, le langage préjudiciable, et les mécanismes sociaux néfastes ; donc l'atteinte morale et le mal physique. Sur le terrain de la justice, la Bible parle de la méchanceté intentionnée d'une Cour de Justice avec des magistrats injustes, de faux actes d'accusation, de faux témoins et des témoins malveillants, de l'injustice devenue institutionnelle, d'un langage préjudiciable, et des mécanismes politiques violents avec comme résultats des inculpés et des condamnés innocents. Et, réaliste comme elle est, la Bible montre la cupidité généralisée et la haine entre personnes, qui ont pour conséquences la souffrance des innocents. Évidemment, les hommes sont aussi bien acteurs que victimes de cette violence. Nous rencontrons dans les textes des hommes réels, et non pas des demi-anges. Ils cherchent la punition et la destruction de ceux qui les ont heurtés, haïs et agressés. En fait la Bible nous dit que l'homme avec toutes ses capacités, sa compréhension et sa foi, reste un homme avec toutes ses faiblesses, qui peut dire et prier ce qu'il veut, et même demander des actes impropres, mais Dieu lui répondra avec tendresse, pitié et gestes d'amour

Déjà en résumant le mot « paix » nous avons précisé que dans le NT la guerre est une réalité spirituelle de bataille contre les pouvoirs noirs de ce monde. En étudiant les textes de guerres dans l'AT, nous y rencontrions surtout des affrontements physiques entre groupes et nations. Bien qu'il soit impossible dans le cadre de ce livre, de relire et d'étudier toutes les histoires de guerre dans l'AT, nous avons pu indiquer, sur la base d'une série d'illustrations, quelques lignes de développement et tirer des conclusions, qui s'appliquent également à la plupart des autres récits guerriers. Nous avons montré comment elles se sont construites à travers les siècles et ont conduit au texte actuel de la Bible. Autrement dit, comment elles ont émergé et se sont développées sous l'influence des changements politiques et religieux dans la société israélite du judaïsme naissant.

Les récits que nous avons examinés dans ce livre ont changé de caractère au fil des rédacteurs et ré-adaptateurs : de narrations sur le passé glorieux ou non du peuple, ils sont devenus prédications du salut pour un peuple désespéré, opprimé et abandonné en exil à Babylone. Israël a perdu son identité nationale quand la ville de Jérusalem est tombée aux mains des Babyloniens violents, et l'élite du peuple a été exilée. Israël (en fait le Royaume de Juda) n'existait plus alors comme entité politique ou militaire ; il n'en restait que l'entité religieuse profondément bouleversée. En outre, les points de vue théologiques d'avant l'exil, considérés comme incontestables et néanmoins farouchement attaqués par le prophète Jérémie, ne s'étaient absolument pas montrés tenables ; et donc ils n'étaient pas vrais devant Dieu. La foi en la ville de Dieu, Jérusalem, imprenable, et en la maison de Dieu, le temple, intouchable, comme dogmes éternels, étaient tombés en ruines avec les murs et les bâtiments de la ville.

Or les Israélites, qui résidaient à Babel, n'avaient plus de territoire, ni de nation indépendante. Il leur manquait la structure d'un pouvoir politique et une armée pour les guider et défendre leurs propres valeurs. En bref, socialement parlant, le peuple Israélite se trouvait dans une situation catastrophique. Mais également sur le plan religieux, il n'y avait plus rien de stable et d'inspirant ; les croyants vivaient une situation sombre, sans précédent. Les vieilles idées théologiques et religieuses avaient été fondamentalement compromises. La foi dans le royauté éternelle de David, le caractère sacré du temple et de la ville de Jérusalem se révélaient faux de par la disparition récente de la nation et de la ville. La déportation d'une grande partie de la population du royaume avait détruit tous les éléments qui font d'un peuple une entité reconnaissable et forte. Un long processus d'analyse du passé, de réponses aux questions que les développements récents avaient suscités, de réflexion sur l'avenir du peuple en exil se montrait absolument nécessaire pour les théologiens, les prêtres, les chefs et prophètes à Babel et à Jérusalem.

En reprenant et modifiant les vieux récits guerriers, les auteurs faisaient une tentative sérieuse et durable de créer, au cours de la période de l'exil babylonien, une nouvelle conscience religieuse. Ainsi ils ont encouragé les Israélites exilés à construire leur propre existence et à résister à la tendance à se fondre dans l'amalgame des peuples, des cultures et des religions présentes à Babel. Déjà le prophète Jérémie avait écrit dans sa célèbre lettre aux exilés (Jr 29) que les Israélites devraient prendre pied à Babylone, s'y renforcer en tant que peuple, s'y construire des maisons, y planter des fruitiers, et s'y créer de la progéniture. C'est de cette manière que le peuple israélite serait capable de survivre à l'exil, qui durera, selon le prophète, environ 70 ans.

Les récits guerriers, reformulés et concentrés sur l'implication de Dieu, servaient comme source d'inspiration à ce peuple actif et en attente de son avenir. Ils racontaient comment Dieu est au centre de l'histoire, et qu'Il influence, par tous les moyens possibles, la vie humaine et les événements dans le monde en faveur de son peuple puni par l'exil. Les narrations des guerres y était très propices, car dans des situations aussi désespérées, Dieu apportait une solution positive pour le peuple : la victoire sur ses ennemis. Et c'est ainsi qu'Il donnera dans l'avenir une victoire sur les ennemis, aussi grands qu'ils puissent paraître actuellement. Dieu lui-même continuera de diriger et de protéger son peuple, il le délivra de toute détresse.

Ces textes guerriers ont fonctionné pendant l'exil babylonien, comme autant de sermons encourageants, afin de susciter chez les exilés un changement d'attitude et de leur fournir une foi renouvelée en ce Dieu-qui-sauve. Les récits n'ont, par conséquent, en fait presque rien à voir avec l'utilisation de la violence et beaucoup plus avec la délivrance de la détresse. Cette libération vient de Dieu lui-même, et dans la dernière phase du développement théologique de la terminologie de la guerre sainte, le peuple doit seulement regarder et profiter (en emmenant le butin) de la lutte qui se déroule entre ses ennemis et Dieu. Les théologiens ont adaptés les textes d'une telle façon qu'ils sont devenus de vieilles histoires sur des luttes, des prédications de la future libération du peuple.

Il est possible de lire une narration de la même façon que ceux à qui elle était destinée dans son édition présente. Mais nous risquons de tomber dans le piège de l'historisation. Nous pensons que les textes ne sont pas historiques dans le sens moderne du mot : décrivant les événements d'un moment ou d'une époque dans l'histoire, comme on pourrait parler de l'histoire biblique. Il y a sans aucun doute une énorme quantité de faits historiques à trouver dans la Bible, bien que beaucoup de textes soient intentionnés et tendancieux, orientés vers d'autres buts. En général nous lisons ces textes diachroniquement, et nous prenons les textes dans leurs versions finales, en oubliant les couches de rédactions qui se trouvent en dessous de ces versions, alors qu'il serait préférable de lire de manière synchrone, donc lire et étudier l'état de développement d'un récit dans son contexte historique. Ainsi on découvre les phases précédentes des textes, qui ont fonctionné en leur temps de leur propre façon. Nous nous rendons compte que cette approche évoque une marée de problèmes de compréhension des récits, mais les lire comme une sorte d'historiographie pieuse soulève également de nombreuses difficultés chez les lecteurs croyants.

Déjà dans les textes bibliques dans leur version finale, concernant les guerres, nous pouvons apercevoir un développement théologique, comme nous l'avons lu ci-dessus dans les deux narrations, celle de la conquête de Jéricho (Jos 6) et celle de la bataille avec les Moabites (2 Ch 20). Dans les deux cas, la guerre pour les Israélites n'est que la participation à un rituel liturgique ; elle n'est plus une confrontation militaire entre les deux nations. Les Israélites fêtent en quelque sorte la bataille en dansant et priant, car c'est Dieu qui dirige la bataille contre leurs ennemis.

Ce mot « ennemi » se trouve partout dans la Bible et est traité d'une façon réaliste ; les ennemis du peuple israélite, des justes, des pieux et des croyants existent et il faut les battre par des moyens physiques et spirituels. Dans cette bataille, on peut compter sur Dieu, qui rend la justice et de qui vient le jugement (dernier). D'où cette inimitié entre hommes, et envers Dieu, la Bible ne cherche pas à comprendre. Mais il est évident qu'ils sont les serviteurs du mal. On reconnaît les différents ennemis extérieurs : un individu contre un individu, une seule personne contre une nation entière, une tribu contre une tribu, une nation contre une nation, et tous les variantes confondues et imaginables.

On rencontre ces ennemis dans un conflit militaire et dans une confrontation politico-religieuse. Ce peut être des rois comme représentants d'une nation entière, armée inclue. Dieu aussi peut être l'ennemi d'un humain. Quand la Bible parle d'un ennemi dans le peuple israélite, elle réfère régulièrement à un contexte juridique ; les ennemis sont alors des personnes qui menacent les plaignants, les malades et les gens en détresse, qui sont déjà touchés par un mauvais sort. Ils sont capables de leur porter le coup de grâce plutôt que de les gracier. Ainsi les ennemis affectent et détruisent les relations dans la communauté. Parfois la Bible décrit ce genre d'ennemis comme des animaux ou comme des démons. Théologiquement parlant, ils deviennent les auteurs du contre-divin. Une autre façon de stéréotyper les ennemis se retrouve dans le langage de la guerre de YHWH. Ici, les ennemis d'Israël, devenus ceux de YHWH, sont les opposants du passé ; ils sont utilisés dans la prédication de l'espérance de ceux qui sont perdus dans l'exil. À part de la notion d'opposant, la Bible connaît aussi une approche plus positive de l'ennemi : l'Israélite doit l'aider et le nourrir, et non pas se réjouir de ses malchances. Ceci compte d'abord pour les ennemis qui sont proches de l'intéressé, par exemple un membre de la même tribu, de la même communauté ou d'un même village.

Plusieurs textes dans le NT font encore un pas plus en avant, car étant basés sur l'amitié, l'amour fraternel, et une attitude intérieure positive envers l'autre. Le croyant doit donner à tout le monde, et par conséquent à ses ennemis aussi, le droit à l'existence. Le fondement chrétien du comportement humain est l'amour. Comme Jésus le dit dans le

Sermon sur la montagne (Mt 5, 43s.) : « Vous avez appris qu'il a été dit : Tu aimeras ton prochain et tu haïras ton ennemi. Et moi, je vous dis : "Aimez vos ennemis et priez pour ceux qui vous persécutent..." » L'intention de ce comportement est de faire changer l'attitude de l'ennemi : en attaquant son hostilité par un geste humain, il essaye de la transformer en fraternité.

Le NT connaît aussi des ennemis parmi les chrétiens : ceux qui suivent d'autres prédicateurs, considérés comme non orthodoxes, ou des chrétiens qui ne prennent pas trop au sérieux leur mission et leur comportement dans le monde, ainsi mettent-ils en danger la réalisation du royaume de Dieu sur la terre. Car ce royaume a comme fondement l'amour fraternel envers tous, ennemis inclus. D'une certaine façon, le prophète Jérémie le disait déjà aux exilés à Babylone : « Intercédez pour elle [la ville de Babylone] auprès du Seigneur : sa prospérité est la condition de la vôtre » (Jr 29, 7). C'est ainsi que se réalise la paix sur la terre.

II

UNE RELECTURE DES RÉCITS

Dans les précédents chapitres nous avons étudié quelques textes dans lesquels figurent les mots paix, violence, guerre, ennemi et étranger. Dans cette partie, nous offrons une manière de lire les récits bibliques, connus et moins connus, qui puisse rendre le caractère spécifique de la Bible et la profondeur avec laquelle la réalité humaine elle pense. Après l'évocation de la complexité des idées bibliques sur ces cinq notions, nous allons maintenant montrer la cohérence de ces mots dans l'ensemble de la Bible. Car, ensemble, ils contribuent à l'image de Dieu et au sens de ses intentions envers l'humanité, ce qui est fondamental pour notre compréhension de sa Personne.

Pour cet exercice nous avons choisi sept péricopes : un texte poétique, trois textes historisants, un texte prophétique, un récit évangélique et un texte apocalyptique. Nous allons en quelque sorte les re-raconter. Ainsi, nous allons introduire dans ces narrations quelques idées exégétiques, pour alors accentuer la spécificité du texte original et sa possible interprétation. Chaque narration sera précédée de remarques formelles et exégétiques concernant le contenu du texte original. Nous utiliserons différentes méthodes d'exégèse, qui peuvent être applicables aux textes discutés. Le but de cette présentation est simple : montrer aussi bien la cohérence biblique que la diversité de compréhension des notions étudiées dans les chapitres précédents, et relever d'une façon différente les mêmes thèmes contenus dans les textes choisis. Souhaitons que le lecteur découvre lui aussi que de cette manière la Bible rayonne.

3

Lire les textes : exégèse et interprétation

DIEU DE PAIX : GENÈSE 1, 1-2, 4A

La Bible commence avec un texte qui a influencé de manière significative la pensée humaine sur les origines de la terre et de l'espèce humaine. Qu'importe ce que l'on pense ou ce que l'on croit du développement de l'univers, que le Big Bang serait à l'origine de tout, ou que Dieu ait agi, et jour après jour ait créé ce que nous voyons autour de nous, ou qu'on cherche un intermédiaire entre ces deux approches… La Bible nous raconte quelque chose de très intime et personnel concernant les origines de la vie sur la terre. Nous, les humains, sommes sur terre, avec une raison et avec une mission.

Parfois les gens pensent que la Bible s'est développée plus au moins accidentellement ; et que l'ordre des livres qui la composent est plus ou moins dû au hasard. Les recherches modernes nous ont montré qu'aussi bien la structure des récits, que la quantité des mots utilisés dans les textes, que l'ordre des livres sont intentionnels. Que la Bible commence par un poème pacifique a des implications majeures pour la lecture de l'Ancien et Nouveau Testament. On peut dire que cette péricope donne le ton de l'ensemble de la lecture de la Bible.

La spécificité de ce poème en dix strophes apparaît lorsque nous faisons une comparaison avec des textes sur les origines du monde d'autres pays dans l'ancien Moyen-Orient. Ce qui frappe le plus le lecteur, c'est le caractère paisible et respectueux du poème biblique. On n'y lit point de batailles, ni de confrontation avec des pouvoirs existants ; au contraire, la Bible présente en sept jours – donc une reprise de la semaine telle que les humains la connaissent – la création pas à pas de la terre. Plus tard, un auteur y a ajouté le récit si simplement formulée de la manière dont Dieu créa l'homme : il le « modela avec de la poussière prise du sol et insuffla dans ses narines l'haleine de vie » (Gn 2, 7) ; c'est ainsi que l'homme devenait un être vivant.

À part cette notion de la création pacifique, il y a d'autres thèmes, importants pour la suite de la lecture : la terre comme création voulue par Dieu, comme endroit de vie adapté pour les hommes. Tout est en bon ordre pour que l'homme et la femme puissent gérer la terre, et la création entière est à leur disposition. En outre, lorsque les éléments de la création sont en place, la terre offre un espace où les humains ont toutes les possibilités de se développer et de créer un environnement qui leur plaît et leur permet de vivre heureux. Le texte utilise le mot paix dans son sens large. L'avenir est devant les hommes, vivant sous une coupole lumineuse, qui leur donne jour et nuit : le temps de l'activité et le temps du repos.

Dans la narration qui suit ces aspects sont accentués. Ce récit est un peu long, pour montrer son importance et son impact fondamental dans tout le reste de la Bible.

Le chant de la création

La lumière devient déjà floue dans le vieux bâtiment, qui sert de salle de prière, espace d'études et salle de réunion pour la communauté du village. Seulement Elijahu est présent assis à la table de lecture avec une montagne de grandes volumes et de rouleaux autour de lui. Il est le chercheur le plus important de textes anciens de notre peuple, qui vit déjà depuis plusieurs dizaines d'années en exil dans une banlieue de la ville de Babylone. Pendant cet exil sans fin, il a la charge de mettre de l'ordre dans les textes et les annales, qu'on a rassemblés à toute allure, pour y former une mémoire collective, à l'époque où l'élite de notre peuple a été rendue captive par les Babyloniens. Sont collectionnés des rouleaux, des volumes in-folio, des morceaux de parchemin, des pièces de poterie gravés et des pierres inscrites cuites.

Les dirigeants de notre peuple ont décidé que ce matériel chaotique doit être trié, compris, réfléchi et remis en bon état, ensuite être pourvu de commentaires, afin que le peuple en exil et ceux qui sont restés sur place à Jérusalem, auront des sources communes et fiables, pour ainsi créer une foi commune et durable. En faisant ceci on restructure l'histoire de notre peuple avec son Dieu ; et on décrit ce qui s'est passé avec le peuple pour comprendre pourquoi ce désastre de l'exil nous est venu. Il n'y a que peu de gens capables pour ce travail de prudence et de diplomatie. Mais Elijahu unit une grande connaissance avec la sagesse de gérer les difficultés et les opinion divergentes.

Il prépare le premier chapitre de l'oeuvre concernant les origines de notre peuple, de la terre et en fait de toute la création. Il en parle beaucoup, et parce qu'il est un expert dans ce domaine son discours est particulièrement intéressant et instructif. Il connaît non seulement les traditions de notre propre peuple, mais aussi ceux d'autres peuples, comme les Babyloniens qui nous ont contraints à vivre dans leur capital. Elijahu en est conscient, et il a accepté qu'il y a toujours quelque influence de la pensée et des croyances d'un peuple sur un autre. Dieu est si grand, qu'il se laisse connaître aussi par les gentils. En décrivant donc le commencement du monde, il voit une étincelle de notre Dieu dans leurs écritures.

Tout à coup le vieil homme me voit et m'appelle chez lui. Il me dit : « Je ne veux pas faire de la genèse de la terre et de l'humanité ni un récit ni un exposé. Mais quoi faire ? » Je lui réponds : « Et comment les autres l'ont-ils fait, maître ? » « Devrais-je imiter les Babyloniens en faisant un grand poème ? » Et après un bref silence : « Non, c'est impossible, je ne peux pas écrire le texte d'une lutte qui a conduit à l'existence de l'humanité. Notre Dieu est différente, plus pacifique, plus seul, plus grand ; et Il n'a pas besoin de créer l'homme par une bataille. » « Mais maître, ne pouvez-vous pas créer un poème sans lutte, sans violence ? » Et il réagit : « Mais bien sûr, c'est ça ! La création des cieux et de la terre par notre Dieu doit être chantée dans un cantique joyeux ! »

Le poème

Un petit groupe de travail se rassemble et Elijahu prend la parole : « Je pense que nous devons prier et chanter avant que nous commencions ce plus saint de tous les travaux. À cette fin, j'ai trouvé une vieille chanson, qui peut être très utile pour nous dans la poursuite de nos activités et qui reflète exactement ce que nous devons formuler. » Et il commence à chanter :

> Tu as maîtrisé la mer par ta force,...
> C'est toi qui as creusé les sources et les torrents,
> et mis à sec les fleuves intarissables.
> À toi le jour, à toi aussi la nuit ;
> tu as mis à leur place la lune et le soleil ;
> tu as fixé toutes les bornes de la terre ;
> l'été et l'hiver, c'est toi qui les as inventés[1] !

À peine a-t-il achevé ce chant qu'il nous pose la question : « Qu'en pensez-vous ? » Pris de court je lui dis ouvertement que je pense qu'il ne reste pas beaucoup de travail à faire, parce qu'en fait l'hymne dit déjà tout sur la création. « Pensez-vous vraiment que nous n'avons qu'à ajouter quelques petites strophes à ce beau hymne pour en faire un vrai chant de la création ? », réagit-il. « Bien que non ! Ce texte ne vail pas du tout ; il vient en partie de Babylone et il est plus ou moins adapté à notre foi. Mais pour notre foi, il est beaucoup trop vague et surtout incorrect ! » Un grand silence d'incompréhension tombe sur nous ; et il poursuit : « Dans notre poème la paix et le développement pacifique de la création formont le centre de nos expressions. Nous n'allons pas parler de lutte, mais de Dieu qui crée un espace dans l'intérêt de l'homme, qui sera la couronne sur sa création. Mais dites moi, comment vous imaginez-vous notre monde avant que notre Dieu a agi et ses actes créateurs se sont effectués ? » Parce que nous nous sommes tous tus, il dit simplement : « Laissez fonctionner votre imagination, laissez venir les images, essayez de vous ouvrir pour l'Esprit divin, qui vous fait regarder derrière les horizons du temps… »

Avec hésitation, nous évoquons quelques mots : le noir, l'eau, le vide… Il se tait en faisant la grimace et garde ses yeux fermés. Tout à coup il bonde en crient : « C'est ça ! Que je ne l'ai pas vu moi-même ! Excellent ! J'ai toujours fait un effort de comprendre comment la création du monde s'est accomplie. Pas une grande bête qui doit être coupé et dont les entrailles donnent la place pour vivre ; aucune divinité qui était en guerre avec une autre divinité… mais quoi donc ? Vous avez donné la réponse. Il n'y avait tout simplement rien, l'eau, l'obscurité et le vide, le chaos dans lequel notre Dieu a mis l'ordre. Nous devons introduire notre cantique avec cette pensée, pour faire comprendre comment tout a commencé. »

« Et, continuait-il, pouvez-vous me raconter quelles choses doivent être créées ? » « Moi, je pense à la lumière, comme il faisait noir et nuit ; à sécher la terre parce que l'eau était partout ; aux arbres et plantes, car tout était vide. » « Et les animaux et les humains alors, maître ? », lui demande l'un de nous. « Tu as raison, ils doivent également être présentés ». « Et le firmament, maître ? », se rappelle un autre. « Ah, voici quelque chose dont je n'ai pas pensée, le firmament… un acte de Dieu pour faire une séparation entre son univers, son séjour, et celui des humains », répond Elijahu.

Plus tard Elijahu énumère la liste des thèmes, en posant une question inattendue : « Nous avons décidé de faire un cantique, comme un poème ; or un poème se compose de strophes. De combien de strophes notre poème sera-t-il composé ? » Surpris par cette question, je dirige mes yeux vers le bas pour regarder mes mains ; en observant mes doigts je me sens sauvé : « Dix bien sûr, maître ! Comme les doigts de nos mains ! » Il a l'air assez étonné et me repète : « Dix ? Dix ? Un peu beaucoup, j'ai pensé à sept, comme les jours de la semaine… Mais dix est effectivement très envisageable, car dix strophes créent un lien avec les dix Paroles. Notre chant de création sera un hymne de dix strophes à la libération réalisée par notre Dieu. Il nous a donné par Moses dix Paroles pour vivre sur la terre, qu'il a créée pour nous. Dix Paroles de liberté pour construire une société devant sa Face. Donc faisons un cantique de dix strophes, chantant les sept jours de la création pacifique ».

Le travail

Elijahu propose d'écrire un prologue et un épilogue au chant. Dans le prologue sera dit ce qui va se passer – l'annonce de la création – et avec l'épilogue, le cantique se terminera. Il formule ainsi la première parole : « Au commencement Dieu créa le ciel et la terre ». On peut remarquer qu'il est un grand théologien, parce que cette phrase n'est pas seulement une épigraphe, mais aussi une profession de foi. Dans ce texte notre peuple confesse qu'il vit sur une terre créée par Dieu sous son ciel. Un vieux prêtre s'exclame soudainement : « Qu'est-ce que c'est beau cette première phrase et surtout ce premier mot ! Le premier caractère de ce cantique et dans l'avenir le premier caractère du Livre de Dieu et son peuple est le ב[2] ? Ce caractère est une confession de foi, parce qu'il imagine l'homme avec ses pieds sur terre, un support pour son dos, un toit protecteur au-dessus de sa tête et un avenir, un livre ouvert plein d'expériences et de leçons. Béni soit-il, notre Dieu, pour tant de richesses spirituelles ».

Impressioné par cette sagesse Elijahu poursuit le travail en nous posant cette question : « Comment allons-nous indiquer les différentes strophes de notre chant ? » Un membre du groupe réagit : « Peut-être en indiquant l'acte créateur de Dieu ? Faisons commencer chaque strophe avec les mots : "Et Dieu dit" ». Elijahu semble avoir des doutes : « À qui parle-t-il donc, Dieu ? Car Il est toujours l'Unique avant n'importe quel autre être créé. » « Non, dit un autre, lorsque Dieu parle, il exprime simplement ses pensées. Penser, parler, agir et créer est la même chose chez Dieu, comme dans notre langue. Donc si Dieu dit ou pense que quelque chose doit être créé, elle est déjà présent ! »

Ensuite, vient la répartition des dix strophes : d'abord la lumière et les ténèbres, ensuite la séparation du ciel et la terre, les eaux et les terres séches, les plantes et les arbres, les lumières du jour et de la nuit, les créatures de la mer, les êtres des terrains secs, y compris les êtres humains et pour finir le jour de la liberté, la journée de repos. La deuxième répartition porte sur les sept jours, elle est plus compliquée. Le dernier et septième jour, le Sabbat, est le jour du repos, de calme, de la tranquillité, et, par conséquent, de la paix de l'homme. Le premier jour ne semble pas difficile à définir : c'est celui de la création de la lumière. Jusqu'à présent, nous sommes tous d'accord, mais tout à coup une discussion éclate à laquelle chacun participe. Si la lumière a été créée le premier jour, comment se fait-il que par la suite le soleil, la lune et les étoiles soient créés ? Mais le vieux prêtre intervient : « Il ne faut pas considérer la lumière uniquement comme une lampe ! Ne chantons-nous pas que "ta parole est une lampe pour mes pas, une lumière pour mon sentier ?" Des mots comme des lampes est aussi absurde. Liberté poétique... ? Bien sûr que non ! Il s'agit de l'éclairage, un aperçu, voir à travers des choses. Si Dieu sépare lumière et obscurité le premier jour, il a fait un endroit où la compréhension des choses est présente, où les routes sont praticables, où les ténèbres et le mal sont absents. Cette lumière créée par Dieu surmonte soleil, lune et étoiles ! » « Hallelujah », Elijahu réagit.

La première phrase étant déjà connue, nous esquissons dans la deuxième le vide, l'obscurité, l'eau et l'esprit de Dieu : en bref, tout ce qui sert de base pour les dix mots de la création. Ensuite nous ajoutons ce que nous avons formulé concernant la séparation entre lumière et obscurité ; nous avons appellé la lumière jour et l'obscurité nuit. Le vieux prêtre réagit : « Eh bien, pas mauvais, parce que le jour signifie la vie et croître, et par conséquent, lumière ; et nuit signifie la mort, le néant et le silence… les ténèbres au sens large du terme ». Et il poursuit : « Et maintenant la dernière phrase que vous proposez, il y eut un soir, il y eut un matin : premier jour. Ce que je trouve très saillant, c'est qu'elle met un point final à un jour. Si nous prenions cette phrase à la fin de chaque de jour comme une sorte de refrain ? » Tout le monde hoche la tête en guise d'approbation.

Formulons maintenant le texte du jour de la séparation des eaux, que Dieu coupe en deux parties : le ciel d'une part et les eaux de l'autre, qui vont ensuite former la terre. L'eau rassemblée à un seul endroit, afin que la terre ferme puisse remonter ; c'est ainsi que la terre et la mer obtiennent leur forme et place. Puis la terre sèche est habillée d'arbres et de plantes vertes. Un des participants dit : « Il faut que les gens, qui vont chanter ce cantique, sachent que la création est bonne pour eux, vivable, utile et utilisable. Donc sera ajoutée à ces actes de création la phrase : "Dieu vit que cela était bon" ». Acclamé par tous, nous décidons d'ajouter cette phrase à chaque strophe ; mais pas à la deuxième, parce que, pour l'homme, la séparation entre le ciel et la terre n'est pas vivable, surtout quand il n'y a que de l'eau sous le ciel.

Pendant la réunion suivante, nous terminons la cinquième strophe chantant les lumières, le cours des saisons et le jour et la nuit. Comme dans les quatre premières strophes, celle-ci commence par : « Dieu dit », et quelques phrases plus loin : « il fut ainsi ». La strophe contient les phrases précédemment utilisés : « Dieu vit que cela était bon. Il y eut un soir, il y eut un matin ». Ensuite nous discutons le texte pour la sixième strophe, qui se rapporte aux êtres vivants. Elle articule comment Dieu a l'intention de créer des animaux pour les eaux et pour les cieux, et ensuite Il les crée réellement et les bénit. Dans ce verset, il devient clair que la création des êtres vivants est différente pour Dieu, car Il s'adresse à eux à haute voix. Ils sont ses compagnons dans la création.

Elijahu demande : « Comment remplir les trois strophes du sixième jour ? Il nous reste la création des animaux terrestres, un thème que nous pourrions utiliser pour la septième strophe. Puis vient nécessairement ce jour-là la création de l'homme ; donc, ceci sera le thème de la huitième strophe de notre chant ; et comment le faire ? » Un participant répond : « Il est assez spécial d'assumer que les animaux et les humains furent créés le même jour. Ils ont bien sûr beaucoup de parenté, parce qu'ils vivent, se déplacent délibérément dans une certaine direction, émettent des sons et nourrissent leurs enfants. Il y a aussi des différences substantielles : la vie animale se concentre sur elle-même et les animaux servent régulièrement de nourriture aux autres animaux et à nous, les humains, mais nous, les humains, avons des tâches, des devoirs, des vocations, envers la création, le Créateur et autrui. Ne devrions-nous pas accentuer cette différence et ces qualités humaines dans la neuvième strophe ? » Un autre réagit : « Ceci me semble excellent, mais peut-être que nous devrions articuler les intentions divines avec sa créature, l'homme, en deux fois : tout d'abord quand Il crée l'homme, et puis quand Il donne aux hommes les tâches pour vivre, après leur création ». Le vieux prêtre dit : « Bonne idée. L'homme doit peupler la terre, et organiser la gestion des mers, des territoires et de tous les animaux, et assurer la préservation de la nature ».

Mais il manque quelque chose et Elijahu le comprend : « L'homme n'est-il pas l'image de Dieu ? Nous parlons, nous pensons, nous ressentons, nous créons et nous contrôlons la création. Ne sommes-nous pas enfants de Dieu, parce qu'il nous a faits, comme un père ses enfants conçus dans une femme ? » Le vieux prêtre prend la parole : « Oui ! Donc mettons dans la huitième strophe que Dieu dit : "Faisons l'homme à notre image, qu'il soit comme nous" Dieu au pluriel parce qu'il est infiniment varié et donc les hommes également seront infiniment variés. » Suivent la dixième strophe et l'épilogue. En fait, celle-là concerne la signification du Sabbat. Déjà à la création, Dieu a reservé ce jour pour le repos, pour un jour de fête religieuse, sacrée, pour lui et pour ses créatures, les hommes. Et Il a placé cette journée hors de l'ordinaire quotidien de l'homme, pour contempler avec Lui les bienfaits de la création. Donc un jour de bénédiction, de bien-être, de liberté et de joie. Une journée qui indique clairement ce qui est le but de Dieu pour la création : vivre sans peur, libre de contrainte. L'épilogue est simple : « Telle est la naissance du ciel et de la terre lors de leur création ». Cela suffit.

DIEU DE BÉNÉDICTION : EXODE 17, 8-16

Ce récit est une histoire vraie de guerre entre les Israélites traversant le désert situé entre l'Égypte et la terre promise (la Palestine) et les Amalécites, membres d'une tribu habitant la péninsule du Sinaï. Il est évident que cette région n'était pas inoccupée à l'époque de la grande traversée et que sources et oasis étaient assez rares ; chaque fois qu'un groupe pénétrait leur territoire, les habitants, en ce cas les Amalécites, essayaient de le chasser.

Mais il y a tout de même un autre aspect qu'il ne faut pas négliger. Car ce récit se trouve dans un contexte assez compliqué. Les péricopes précédentes, après les chapitres Exode 13, 14 et 15, qui réfèrent au passage de la mer – donc l'entrée dans le désert –, racontent chaque fois que le peuple murmure contre Dieu : d'abord, tout juste arrivé dans le désert, lorsque l'eau est amère à Mara (Ex 15, 22-27) ; ensuite, quand il manque de nourriture (Ex 16, 1-18) ; et finalement quand il n'y a pas d'eau à Massa et Mériba (Ex 17, 1-7). Dans ces trois cas, Dieu intervient pour leur donner de l'eau ou de la nourriture. Ici c'est un ennemi humain, qui se présente et qui n'est pas accueilli par les murmures du peuple israélite. Néanmoins, selon le récit, c'est par la médiation de Moïse – et donc en fait par Dieu – que le peuple sera sauvé des mains des Amalécites. Le fait que Moïse élève la main ou les mains vers le haut, pourrait signifier que c'est un geste de prière ou de demande de bénédiction par Dieu. Aussi longtemps que la prière dure le peuple israélite est béni, et est donc plus fort que l'ennemi amalécite. Quand les mains de Moïse s'abaissent, l'ennemi est plus fort. La signification de cette histoire est simple : la prière doit être contenue et donne une bénédiction au peuple, à savoir la libération de ses ennemis.

Parce qu'il y a deux *dramatis personae*, Josué et Hour, qui ne sont pas présentées dans les chapitres précédents, on pourrait se demander de quelle époque date ce récit. Il est probable que ces deux personnages étaient connus par les lecteurs qui connaissaient des histoires ultérieures, dans lesquelles ils figuraient. Ce récit a donc obtenu sa version définitive beaucoup plus tard que les textes qui le précèdent. D'autant plus que les trois derniers versets (Ex 17, 14-16) semblent être un ajout au récit, pour des raisons différentes : – L'ordre de Dieu, unique dans son contenu, d'écrire les événements sur un livre en mémorial et de les transmettre à Josué, qui y a pourtant participé. – L'annonce divine qu'Il va effacer la mémoire d'Amaleq de sous le ciel indique déjà un cadre historique et théologique plus grand et plus développé que le séjour dans le désert. Et la formulation de cette manière réfère à une implication active de Dieu dans les guerres d'Israël, comparable à celle de la guerre contre les fils de Moab et d'Ammon (2 Ch 20).

En somme, nous pouvons supposer que le noyau d'un ancien récit, originaire de la tradition orale, a été noté et élaboré, de telle façon que le texte actuel ait obtenu un sens plus large et une orientation plus spécifique pour un auditoire bien défini. En fait, ce texte est plus important par son utilisation dans la prédication, que par les faits historiques qu'il rapporte. La phrase référant à l'inimitié entre Dieu et les Amalécites a un sens particulier, lorsqu'elle renvoie à tous les ennemis qui menacent Israël. Nous avons affaire à un récit symbolique, disant que le peuple israélite, aussi faible soit-il, sera sauvé par la prière et la bénédiction divine.

Dans un café

J'étais juste assis à une table dans un tout petit restaurant sur la place centrale du quartier juif de Babylone, quand la vieille patronne s'approche et me demande ce que je veux manger ou boire. Curieusement, ce soir de sabbat le café était totalement vide ; et je lui demande pourquoi. Elle me répond : « Vous ne le savez pas ? C'est le jour de la commémoration de la chute de Jérusalem ; tout le monde est chez soi, même après le sabbat… » « Et votre café est tout de même ouvert ? » « Oui, parce que je ne me sens pas en deuil aujourd'hui. Et peut-être y a-t-il un client, comme vous, pour partager ce que j'ai à manger et à boire. » Je la regardais sans comprendre ce que j'avais entendu. « Ce soir le client reçoit nourriture et boisson sur mon compte », me dit-elle. « Et pourquoi ? », réagissais-je enchanté, heureux pour elle que son établissement ne soit pas plein. « Parce que dans la synagogue j'ai entendu une prédication qui me rend pleine de joie et pleine d'espérance ! » « Ah ? »

« Je nous apporte quelque chose à boire et à manger et pendant le repas je vous raconterai mon histoire… si ça vous intéresse. » « Volontiers ! » « À tout à l'heure. » Et le silence retombe et me saisit. Quelle pouvait être la raison de sa joie ; car il y avait des années notre peuple avait été exilé ici dans les alentours de Babylone, et sur l'incitation d'un de nos vrais prophètes, nos ancêtres avaient construit des maisons, des jardins, des potagers, des vergers et des vignes ; et à l'écart une école et une maison de prière. L'époux de la veuve avait pris l'initiative, un peu contre la volonté des anciens qui pensaient qu'un endroit où l'on pouvait boire du vin n'était pas bon pour les croyants – qui devaient rester sobres –, de construire avec des briques locales fort rouges une terrasse devant sa maison et plus tard il avait changé le salon de leur maison en un modeste restaurant.

Tout était simple et modeste, laid même – ce rouge affreux –, certainement pas comme autrefois à Jérusalem où les terrasses et les cafés en face du temple, tous en pierre jaunâtres qui jouaient avec la lumière orangée du soleil levant, presque pâle pendant la journée et devenant pourpre juste avant le coucher du soleil. Ces négoces n'étaient en général pas trop appréciés par le clergé, qu'on trouvait tout de même régulièrement parmi leur clientèle. M'étant perdu dans les images de la ville sainte de ma jeunesse, la vielle dame rentra dans la salle à manger avec deux plats pleins de nouilles et de viandes chaudes et les posa devant moi. Une cruche d'eau fraîche et une autre avec du vin étaient posées également sur la petite table. Elle prit place ensuite et, en me souhaitant un bon appétit, elle commença son récit sans me laisser la parole.

« Il fut un jour, comme vous en avez vécu vous-mêmes, où la vie était simple. Moi, et l'homme qui est devenu plus tard mon mari, nous servions sur la grande terrasse, bien cachée, derrière le mur en face du palais. Le restaurant était fameux, et même les membres de la famille royale y mangeaient de temps en temps. Et, comme j'étais jeune et plutôt jolie, j'ai réussi à plusieurs reprises, non sans l'aide d'un peu de vin, à faire parler les courtisans sur la politique du roi. J'étais, même très jeune, éblouie par la stupidité de notre souverain. Il me semblait aveugle sur la réalité et pensait réellement pouvoir tenir tête à l'armée babylonienne grâce à ses généraux – maudits soient-ils. Donc, il continuait à faire des cliques avec ses petits amis, les stupides rois de nos pays voisins, avec comme seul résultat leur défaite totale : les royaumes qui nous entouraient ont été détruit par les Babyloniens. Ils ont commencé par prendre Jérusalem et l'ont anéantie avec son temple une dizaine d'années plus tard, comme vous le savez sans doute. La déportation qui suivit fut terrible, et tout le monde pensait que c'était la fin de notre peuple. Jusqu'à ce que le prophète Jérémie nous incite, dans une lettre, à construire des maisons, à nous marier et avoir des enfants, et les instruire selon les traditions de notre peuple. Et voici que mon mari a bâti de ses propres mains cette maison, que nous avons transformée plus tard en café. »

Elle se tut et essuya les larmes de ses yeux. « Mon mari est mort, assassiné par les Babyloniens – maudits soient-ils –, parce qu'ils n'aimaient pas que notre café prospère.

Ils l'ont fait venir dans la ville par une ruse, et je ne l'ai plus jamais revu… Cela fait maintenant trois ans. Depuis ils me laissent plus au moins en paix, mais le café a perdu son allure et ma situation reste triste et dure. Ce n'est pas une histoire banale, ni heureuse, n'est-ce pas ? Comme pour notre peuple depuis une quarantaine d'années ici. Je vois que tout le monde commence à perdre l'espoir de revoir un jour dans notre ville sainte. Mais ce qui m'a frappée hier à la synagogue, et qui m'a redonné le moral, est la lecture de ce récit guerrier de la victoire de mon peuple. Les événements se sont déroulés lorsqu'Israël se rendait du pays de l'esclavage, l'Égypte, vers la Terre Promise. Le rabbin nous raconta que les Amalécites, maudits soient-ils, attaquaient mon pauvre peuple. Ils étaient suffisamment forts pour battre et anéantir mes ancêtres. Mais, toujours selon le rabbin, dans son explication de texte, avec l'aide de Dieu qui donna des forces extraordinaires à Moïse, ils n'y sont pas parvenus. Aussi longtemps que Moïse a prié pour nous, Dieu nous donna d'être plus forts que nos ennemis. C'est ainsi par la prière que notre peuple a vaincu un de ses plus dangereux ennemis. Et, ajouta le rabbin, dans notre situation de détresse Dieu va agir de la même façon. Même si l'oppresseur semble être invincible, nous découvrirons que notre Dieu, loué soit-Il, sera encore plus fort. Maintenant ces mots forment un petit monument d'espoir et de joie dans mon cœur. Cette explication m'a remplie de joie et c'est pour ça que je trinque avec vous à la santé de notre peuple et son avenir ».

Nous trinquions et commencions à manger, réconfortés et inspirés par cette perspective. Peut-être y avait-il quelque chose de vrai dans l'interprétation de notre histoire par ce prêtre, bien que dans le passé, lui et ses collègues et la plupart des prophètes ne se sont pas montrés dignes de confiance. Peut-être cette fois y aurait-il de la lumière au bout du tunnel de notre souffrance. Après ce repas inattendu, je rentrai chez moi…

DIEU PREND L'INITIATIVE : 1 SAMUEL 7, 1-17

Cette narration nous conduit à un moment historique important : l'époque des juges, personnifiée en Samuel, transition vers la période de la royauté, symbolisée par l'arche qui se trouve dans un endroit stable, comme il est mentionné au début de la narration. Le récit commence avec la formule caractéristique du livre des Juges : « Il s'était écoulé bien des jours, vingt ans déjà, lorsque toute la maison d'Israël se mit à soupirer après le Seigneur. » Après que le peuple, sur commande du juge Samuel, a écarté tous les faux dieux et les idoles, ce dernier commence à parler d'une bataille contre les oppresseurs du peuple israélite, les Philistins.

D'abord nous lisons que Samuel organise un culte dans le sanctuaire de Miçpa, où il habite. Il intercède en faveur de son peuple et les Israélites confessent leurs péchés en jeûnant et en répandant de l'eau devant le Seigneur. Le récit décrit une situation qui n'a probablement jamais existé de cette façon : le juge qui agit comme prêtre, et le peuple qui se repend devant Dieu et prépare en même temps la guerre contre ses ennemis. Mais son message est clair : il faut être en bonne relation avec Dieu pour pouvoir se battre contre ceux qui oppressent les croyants. Et le temps de souffrance, qui provoque finalement la repentance, sera long comme les vingt ans indiqués dans le texte. Déjà cette combinaison de motifs montre que le texte a été adapté à une situation ultérieure.

Néanmoins la peur des Philistins, leurs ennemis, subsiste chez les Israélites. Nous lisons comment le peuple force le juge Samuel à intercéder en sa faveur auprès du Seigneur. Celui-ci fait ce qu'on lui demande et offre un agneau en sacrifice à Dieu, il le prie en faveur du peuple. Cette intercession a son importance et montre que les auteurs ont voulu accentuer le rôle du prêtre comme intermédiaire entre le peuple et son Dieu.

Quelques chapitres plus loin dans le premier livre de Samuel (1 S 13), nous lisons l'histoire tragique du roi Saül qui préside à un sacrifice et l'offre avant de lancer la bataille contre les Philistins – l'ennemi historique d'Israël – après avoir attendu sept jours la venue de Samuel. Celui-ci lui reproche cette activité sacerdotale et annonce la fin de la royauté de Saül. Ici, une fois de plus, les auteurs ont mis l'accent sur la séparation des tâches : le prêtre/juge fait les sacrifices et le roi conduit son peuple aux batailles.

Un autre point intéressant du récit est l'attaque des Israélites par les Philistins pendant le sacrifice, en suggérant qu'en fait ils ne sont que des païens qu'on combat avec raison. Par conséquent Dieu intervient avec grande force en faveur de son peuple. Comme un père fâché contre le garçon qui veut agresser son propre fils, Dieu tonne à grand fracas contre les Philistins. Pris de panique, les Israélites peuvent les attaquer et les chasser de Miçpa en direction de Philistea. Pour commémorer cet événement, Samuel a pris une pierre, qu'il appelle *Evèn-Ezèr'*= Pierre du secours. L'endroit où cette pierre a été posée est inconnu, mais on peut penser que toute pierre pourrait fonctionner comme signe de commémoration, partout où les Israélites se trouvent dans le monde.

Par le récit de la pose de la pierre, cette histoire veut rappeler comment Dieu, d'une façon complètement inouïe et inattendue, intervient toujours en faveur de son peuple, occupé à le célébrer, à le louer par des sacrifices et à le remercier de sa bonté.

La prédication

Dimanche matin, la femme se rendait à l'église pour une célébration de la Parole. Dans sa paroisse il y avait si peu de prêtres qu'on ne célébrait la messe qu'une seule fois par mois dans son village. En été, on avait même une célébration particulière : le conseil de la paroisse avait invité le pasteur protestant du coin à présider. En pratique rien d'étonnant, car les protestants avaient le même problème que les catholiques : trop peu de gens qualifiés pour prêcher. Lui, ses fidèles et les catholiques du village remplissaient bien pour une fois la vieille église. Cette initiative mise en place par nécessité ne déplaisait pas à la femme : il était mieux d'être ensemble et plus nombreux, que de ne pas pouvoir se rassembler le dimanche autour de la Parole dans son village. Elle se demandait souvent pourquoi cette opposition entre catholiques et protestants existait toujours, et quelles étaient les différences entre les deux groupes religieux. Ils étaient séparés depuis cinq siècles, depuis les guerres de religions, et n'avaient pas trouvé le moyen de se réconcilier. Pourquoi toujours cette controverse, cette guerre peu visible mais bien présente ?

C'est avec de telles pensées que la femme entre dans l'église et prend place. Le rituel de la messe brève se poursuivait et les lectures bibliques suivirent ; le texte de l'Ancien Testament la frappa, de nouveau une histoire de guerre. La Bible était pleine de ce genre de récits et quelle intention pourrait-on avoir de les lire pendant une célébration ? À quoi une telle narration servait-elle encore au XXIe siècle, où la recherche de la paix entre hommes et entre nations était d'une importance primordiale. Car tous les problèmes de ce monde ne se laissent résoudre que par une grande cohérence et intense coopération entre les peuples : nourrir sept ou huit milliards d'hommes, protéger la terre contre la pollution nucléaire, s'occuper des conséquences du changement climatique et les difficultés sociales issues de l'urbanisation, de la mondialisation, de la migration de millions de gens. Sans oublier tous ces êtres humains qui vivent sans but, sans orientation philosophique, éthique ou religieuse, sans projet pour la civilisation de ce monde, et pour qui il n'y a pas de plus haut principe que de gagner de l'argent, le plus possible.

« Pourquoi lire un récit guerrier ce matin dans un de ces rares endroits où l'on essaye de réfléchir sur l'homme, dans son actualité en regard d'une écriture ancienne, dite de Dieu ? À quoi cela sert-il ? », pensait-elle. Elle écoutait l'histoire du peuple israélite opprimé par les Philistins, sa demande auprès du juge Samuel pour qu'il intercède en sa faveur, son sacrifice et l'attaque des Philistins, et finalement l'intervention de Dieu qui tonne à grand fracas, effrayant ainsi les Philistins d'une façon telle que les Israélites pouvaient les chasser. En fait, une histoire guerrière comme il y en a tant d'autres dans l'Ancien Testament.

Quelques instants plus tard le prédicateur commença son sermon par une remarque sur notre conception de l'histoire du monde. Si nous lisons globalement les livres historiques utilisés pour l'éducation nationale et laïque, nous voyons qu'on a divisé le temps en époques, après et entre les guerres (civiles et religieuse, politiques et idéologiques ; et occupations, défaites, victoires). Pour le XXe siècle, on parle de la Grande Guerre, l'Entre-deux-guerres, la Seconde Guerre mondiale, la guerre de Corée, du Viet Nam et d'Algérie, la guerre des Six Jours, la guerre du Golfe… ensuite la guerre contre les états du mal, contre les drogues ou contre Daech. Et regardons nos sources d'informations (la télévision, la radio, les journaux, Internet), de toutes les côtés on nous informe de confrontations violentes entre individus, groupes, nations, etc. Et dans ce sens rien n'a changé depuis des millénaires. La Bible, qui est un livre humain intemporel, est assez réaliste en mentionnant toutes ces oppositions entre hommes.

Mais, toujours selon le prédicateur, il faut se demander comment lire ce genre de textes : les prendre à la lettre ou chercher une explication plus profonde, l'intention des auteurs qui eux-mêmes cherchent à exprimer la volonté de Dieu. Et, le récit en soi donne déjà une réponse à la question, que nous pouvons nous poser : pourquoi toujours ces récits de guerre ? Car le texte nous raconte qu'il n'y a pas de bataille dans le sens propre du mot. Il n'y a que le tonnerre divin qui trouble, choque, angoisse et disperse l'ennemi. L'événement central du récit est l'intercession pour le peuple, qui a péché en s'agenouillant devant d'autres dieux. La phrase la plus importante de la narration est la proclamation de Samuel : « dirigez votre cœur vers le Seigneur, ne servez que lui seul, et il vous arrachera de la main des Philistins » (1 S 7,3b).

On pourrait dire qu'on peut finir une guerre avec un simple coup de tonnerre, mais être fidèle à Dieu demande beaucoup plus à l'homme : obéissance, respect, écoute, et des qualités comme la créativité, la compréhension, la perspicacité. La guerre se fait avec les bras et les armes, parfois aussi avec l'intelligence, la foi en Dieu ne se réalise que lorsque l'homme est tout entier impliqué. La guerre fait d'une personne un ennemi ou un opposant, la foi en Dieu fait de lui un être qui demande notre attention, notre aide et notre amour.

Lors, le prédicateur finissait ainsi son sermon : un récit biblique concernant la guerre nous trouble, mais, la foi en Dieu est beaucoup plus troublante parce qu'elle concerne la bataille à livrer en nous-mêmes, contre tout ce qui nous tente et nous tire loin de Dieu. Et contre les faux-dieux, les soi-disant dieux de toutes apparences, qui nous attirent facilement et nous séduisent vers une vie facile. Le peuple israélite a découvert que finalement cela mène à l'oppression et à l'esclavage. Menons la bataille spirituelle contre la tentation et la facilité ; cette guerre sera gagnée quand nous implorerons son assistance.

Le silence après ces mots était assourdissant, l'assemblée semblait saisie tant par le contenu de la prédication que par ses conséquences de la mise en œuvre d'un tel comportement. La femme était stupéfaite que le prédicateur ait répondu à ses questions personnelles concernant ce genre de textes. Pourquoi personne n'avait mentionné ceci auparavant ? Cette explication n'avait certainement pas été inventée par le prédicateur d'aujourd'hui… Néanmoins elle était heureuse de ce sermon ; et pour une fois elle croyait en l'activité du Saint-Esprit.

DIEU, L'ENNEMI DE SON PROPRE PEUPLE : 2 ROIS 22

Ce chapitre dit historique met le lecteur devant plusieurs thèmes :

- L'appréciation par les auteurs bibliques du (très) jeune roi Josias, qui « fit ce qui est droit aux yeux du Seigneur ».
- L'intention de ce roi de remédier aux dégradations du temple. Pendant ces travaux de restauration, on découvre le « livre de la Loi ». Le grand prêtre remet ce livre au secrétaire du roi, qui l'apporte à ce dernier et il lui en fait lecture. La réaction véhémente du roi, qui déchire ses vêtements à la lecture de ce livre, indique son grand désarroi et celui de son entourage.

Il y a, aux yeux du monarque, un grand écart entre le comportement du peuple et la loi divine.

- La consultation, sur demande du roi, de la prophétesse Houlda, qui d'un coté innove sur le contenu des prophéties en interprétant les textes des lois religieuses et de l'autre se montre une prophétesse dans la plus classique tradition prophétique. Néanmoins on retrouve dans ses paroles la pensée théologique dite deutéronomique, qui annonce la récompense pour le bon croyant (dans ce cas, le roi Josias, qui s'est humilié devant Dieu), et la punition en forme de destruction pour le peuple apostat, qui s'est agenouillé devant d'autres dieux.
- L'orientation de la fureur divine : Dieu n'est pas l'ennemi d'Israël, mais c'est Israël même qui s'oppose à Lui. Donc Dieu punit le peuple pour son apostasie, comme un père corrige ses enfants désobéissants. Or, ainsi Dieu devient le plus grand danger pour son propre peuple, et de ce comportement divin a résulté la disparition de dix des douze tribus de l'ancien Israël.

Le contenu de ce chapitre est essentiel pour une bonne compréhension du développement théologique dans l'AT. Le texte explique que la découverte du livre de la Loi a des conséquences sérieuses pour le peuple israélite. Celui-ci est devenu un ennemi de son propre Dieu. À part le fait que cette pensée est assez particulière dans le monde du Proche-Orient – une opposition entre un dieu et son propre peuple –, on peut voir ici un tournant dans la conception biblique de cette relation. Les prophètes d'avant l'exil à Babylone ont surtout contribué à ce changement des rapports entre Dieu et Israël. Dans le Proche-Orient de l'époque, les dieux protégeaient peuples et fidèles contre leurs ennemis. Si les croyants étaient tout de même vaincus, il était évident que les dieux des vainqueurs étaient plus forts et plus puissants que les leur et que, par conséquent, les vaincus devaient se soumettre à eux. Dans notre texte, c'est le Dieu d'Israël qui prend l'initiative de faire venir des ennemis pour accabler son peuple et le punir de son apostasie. Le « bon » roi Josias reçoit en récompense pour sa fidélité à l'égard de Dieu, de mourir avant la destruction de son pays et de sa capitale, Jérusalem. Il n'y a pas d'échappatoire pour le peuple à ce sort, à cette décision divine.

Théologiquement parlant les textes s'orientent de plus en plus vers le comportement du peuple de Dieu, et moins vers les autres peuples. Un des aspects importants de cette nouvelle approche théologique, initiée par les prophètes préexiliques, est que le peuple suit les lois et les commandements de son Dieu. Mais le peuple a tendance à ne pas respecter les règles primordiales, comme celle de ne se confier qu'à un seul Dieu, perdant ainsi sa relation intime avec Lui. Le comportement humain met en mouvement le mal et la violence (par exemple, l'insurrection de différentes petites nations autour de Juda contre les Babyloniens pour laquelle la participation de Juda est considérée par les prophètes comme un manque de foi en Dieu), que Dieu – bien qu'étant présent derrière tout ceci – ne veut plus arrêter. Celui-ci prend de la distance avec son peuple, ce qui a pour conséquence de permettre aux autres peuples (ici les Babyloniens), n'étant pourtant pas croyants en Lui, de le battre et le soumettre.

Historiquement le résultat est connu en 597 avant notre ère, douze ans après la mort du roi Josias (en 609). Nabuchodonosor, roi de Babylone, assiège la ville Jérusalem et la prend ; et dix ans plus tard (en 587) son général, Nebouzaradân, paraît devant la ville et la détruit complètement, y compris le temple. S'ensuit l'exil à Babylone pour une période de cinquante à soixante ans.

Une prophétesse se demande : « Suis-je trop sombre ? »

Un jeune homme se déplace dans les ruelles d'un nouveau quartier de Jérusalem ; le soleil baisse, mais la chaleur est toujours lourde, il y a trop peu d'air frais dans cette partie de la ville, avec ses petites maisons bâties à la hâte pendant l'invasion par de très nombreux sujets du royaume du Nord, détruit depuis. Même après un siècle cette partie de la ville reste chaotique et mal construite. L'homme, qui s'appelle Jérémie, n'aime pas la ville ; il préfère la campagne, particulièrement son village d'Anatôt, berceau de sa famille depuis des siècles, depuis que son ancêtre Abiatar, le prêtre du roi David, a été chassé de la cour par le roi Salomon et exilé dans ce petit village. Quand il pense à leur grande maison entourée d'un jardin largement ombragé, il aimerait y retourner. Mais il a une mission aujourd'hui ; il doit rendre visite à une collègue prophétesse, une femme unique, car elle est l'une des seules de son temps qui peut, avec raison, se faire appeler prophétesse. Son nom est Houlda, elle est originaire du royaume du Nord, de la ville de Samarie ; ses grands-parents ont fui ce pays avant que les Assyriens ne l'aient détruit et déporté ses habitants.

Il y a quelques années, après la découverte dans le temple d'un livre des lois divines, la prophétesse Houlda avait prononcé une prédiction si désastreuse et si résolue contre leur peuple, que même Jérémie se demandait si elle ne s'était pas trompée. Voici la raison de sa visite, car bien que partageant son opinion que le peuple se trouvait sur le chemin de l'abîme, Jérémie voyait toujours une possibilité pour sa nation d'échapper au pire, la destruction du pays. Pour lui, Dieu était enfin un père qui aimait son peuple et qui lui pardonnait quand celui-ci se repentait.

Après avoir trouvé la maison, le jeune prophète frappe à la porte et entend : « Entrez ». Dans la pièce sombre, il voit une femme, qui dans sa jeunesse avait dû être très belle, qui bien que amaigrie et grisâtre, conservait toute sa prestance. Ses yeux perçants le regardent avec intérêt, un peu hautainement même. « Qui êtes-vous ? Et que me voulez-vous ? », dit-elle. « Moi, je suis Jérémie, Madame, je suis un prophète de Dieu venant d'Anatôt », lui répond-il. « Jérémie… prophète, vous dites ? Ah, oui, je vous connais, vous êtes le petit emmerdeur de la cour… ha ha ha ! » Ses yeux rayonnent et ses rires emplissent la pièce. « Bienvenu, jeune homme, dans mon humble demeure. Que puis-je faire pour vous ? Êtes-vous à la recherche d'une parole divine ? », dit-elle sur un ton presque moqueur. « Non, Madame, je suis ici pour vous demander de m'expliquer une chose. » « Il y a peu de gens, qui osent venir ici après les paroles que j'ai proférées à propos du roi et de son peuple ; tout le monde a peur de recevoir une prophétie néfaste… Et ils ont raison, il ne reste que peu d'espoir pour cette maudite nation. » « C'est précisément de ce sujet que je voulais vous entretenir, Madame. Dieu m'a inspiré les mêmes pensées que vous, que l'avenir de notre peuple est très sombre et qu'il faut l'avertir de tout ce qui pourrait se passer. Mais j'espère toujours que nos concitoyens aient quelque part la possibilité d'échapper à la destruction totale. Je fais de mon mieux pour les faire se repentir et changer leur comportement abominable, afin que Dieu leur pardonne et accepte d'accompagner notre destin, nous, son peuple. » « Jeune homme, vous êtes un vrai prophète ; j'ai entendu beaucoup de bien de vous. Plus que quiconque, vous êtes conscient que ni la tradition religieuse de notre peuple, ni la ville de Jérusalem, ni le temple sont des garants pour la survie de notre nation. Mais vous espérez toujours qu'un changement d'attitude envers Dieu – donc la fin de l'apostasie et des petites manigances politiques avec les autres nations, et l'intensification de la protection sociale des démunis – pourrait offrir une échappatoire. »

Le jeune prophète regarde la vieille dame avec admiration. Quelle femme, quelle compréhension, quelle intensité dans ses idées, pense-t-il, et il lui répond : « C'est précisément ça que j'espère, Madame, et dont je veux parler avec vous. » « Asseyez-vous, jeune homme ; excusez-moi si je ne vous ai pas invité de vous asseoir avant. Écoutez-moi bien, je suis une vieille femme, qui n'a plus qu'un petit temps à vivre. Je n'ai plus peur de rien et néanmoins je crains l'avenir. » Jérémie la regarde sans vraiment comprendre ce qu'elle veut dire. « Oui, je crains l'avenir, que j'ai annoncé moi-même ! J'ai peur du mal que les autres infligent à notre peuple ; j'ai peur de la destruction qui attend notre ville et notre temple. » « Mais comment pouvez-vous être si sûre de ça ? » « Je pourrais dire que c'est la révélation divine ou peut-être est-ce mon interprétation personnelle de la communication divine. Quand ils m'ont consultée après la découverte du livre de la Loi et m'ont informée de son contenu, j'ai vu tout à coup une image de la destruction de la ville de Samarie, d'où mes ancêtres sont venus. Vous savez sans doute que les habitants, qui ont été déportés du royaume du Nord ne sont jamais retournés dans leur pays. J'ai compris que le Seigneur voulait me faire annoncer l'anéantissement totale de notre nation et de ses villes, Jérusalem et le temple inclus. Je ne peux pas dire comment j'étais en détresse, et quelle difficulté j'ai rencontrée pour prononcer cette prophétie, mais – comme vous le savez, étant vous-même un prophète – je ne pouvais me taire. » Après ces mots un lourd silence règne dans la pièce. Jérémie n'ose reprendre la parole, il lui semble que chaque mot de plus serait un mot de trop.

Quelques instants plus tard, Houlda se lève de son siège et prenant deux bols qu'elle remplit de lait, elle en offre un à Jérémie. « Je me souviens, dit-elle, avoir ajouté une prédiction à propos du roi, qui était à la fois positive et sombre : il mourra avant le désastre, mais cyniquement, ça sera bientôt ; donc il n'a qu'une brève vie devant lui.

Néanmoins il a commencé une réforme religieuse dans notre pays ; c'est très louable mais, selon moi, cela intervient trop tard pour sauver la nation. » « Vous ne croyez vraiment pas qu'il y ait un quelconque espoir pour notre peuple, réagit Jérémie, Dieu est comme un père, qui punit et remet sur le bon chemin ses enfants. » « Non ! Je le voudrais croire volontiers, mais je sais que ce n'est pas la vérité, telle que Dieu me l'a montrée ! Suis-je trop sombre, trop négative ? Je ne le sais pas ; tout mon cœur me dit que vous pouvez avoir raison et que Dieu peut changer d'avis et pardonner. Mais mon esprit de prophète réplique à chaque fois : Dieu a parlé par ses lois et par ma bouche et c'est la fin pour nous tous. Car Dieu est devenu l'ennemi de son peuple ; et ceci est plus dangereux pour nous, que tout autre ennemi. Sa protection nous fait défaut… »

« Oui, nous serons tous les victimes de cette apostasie, de la désobéissance de notre peuple et ses chefs…, mais pensez-vous vraiment qu'il y a aucun espoir ? Même pas pour une infime partie de notre peuple ? » Dans un grand soupir la prophétesse dit à son interlocuteur : « Jeune homme, je l'espère, mais je ne le sais pas, parce que Dieu ne me l'a pas communiqué. Moi aussi, je ne veux et ne peux croire que Dieu abandonnera son peuple. Comment va-t-il sauver ces pécheurs ? Vous, vous êtes encore jeune, et Dieu s'adresse régulièrement à vous… Essayez de Le convaincre d'en épargner au moins quelques-uns parmi les élus de son peuple. Écoutez bien, soyez attentifs au cas où Dieu basculerait en faveur du bien-être de son peuple. Intercédez pour le peuple en danger et croyez en la bonté divine. Peut-être Dieu se laissera-t-il à regretter sa décision et recherchera-t-il le salut de nos compatriotes. Vous êtes encore jeune, et vous avez beaucoup de temps devant vous pour vous battre en faveur de nous tous. Merci, de me laisser en paix maintenant... »

Jérémie voit que les yeux de la femme sont pleins de larmes et qu'elle se recroqueville sur son siège, perdant presque conscience. Il se lève et se dirige vers la porte de la maison, se retournant une dernière fois vers elle, essayant d'avoir un ultime contact, puis il quitte la maison de la prophétesse Houlda. Cheminant vers le centre de la ville, sa tête est pleine de pensées, d'images, et de trouble. Il lui est impossible de comprendre ce que Dieu veut de son peuple, la raison de cette violence divine, cette guerre destructrice qui approche, et pourquoi le peuple sera-t-il étranger dans ce monde...

COMMENT ESPÉRER : JÉRÉMIE 28

Dans le texte précédent nous avons vu comment l'orientation des prophéties a fait passer des ennemis extérieurs du peuple israélite et, par conséquent de Dieu, en ennemi de Dieu qui se trouve auprès du peuple. Le peuple israélite est devenu l'opposant à son propre Dieu par son comportement et sa désobéissance à la parole divine communiquée par les prophètes. Ce changement d'orientation reflète une situation religieuse, dans laquelle la foi en Dieu est devenue un dogme. Les théologiens israélites du VIIe siècle (avant notre ère) sont convaincus que Dieu ne laissera jamais son peuple à l'abandon, ni n'acceptera qu'une autre nation conquière son territoire. La ville de Jérusalem et son temple, lieu de la royauté davidique à qui Dieu avait promis la pérennité, sont devenus des objets intouchables pour les ennemis du peuple israélite, aussi grands qu'ils fussent.

Nous pouvons lire partout dans les prophéties préexiliques, d'Isaïe et de Michée, vivants dans la dernière partie du VIIIe siècle, et surtout dans ceux de Jérémie, Nahoum et Sophonie, vivants dans la dernière partie du VIIe siècle, ainsi que dans les paroles du prophète Ouriyahou (Jr 26, 20) et de la prophétesse Houlda, que la relation entre Dieu et Israël n'était pas évidente et avait des conséquences sur le comportement des Israélites. Ils ont même averti leur auditoire que Dieu pourrait se fâcher contre son peuple aimé et élu et le punir sévèrement. Néanmoins ces mots n'ont pas profondément influencé, ni suffisamment changé l'attitude religieuse de l'élite et du peuple. Ils sont retombés dans leur comportement asocial, leurs manigances politiques avec les autres nations, leur inclinaison envers d'autres dieux, et leur opposition aux vrais prophètes.

Il faut avouer que déterminer qui est un vrai prophète – qui parle donc avec raison au nom de Dieu –, n'était pas toujours facile. Vrais et faux prophètes parlaient tous au nom de Dieu ; et lorsque la véracité de leurs paroles ne se découvrait qu'après plusieurs années, parfois même après des dizaines d'années, il n'était pas facile de savoir qui, parmi la grande quantité de prophètes, était le plus crédible. Le peuple, élite incluse, n'aimait pas trop changer sa façon de vivre, de penser et de croire – c'est de tous les temps – ; il était donc évident que l'on trouvait crédible tel prophète qui prononçait des paroles positives.

Dans le récit de Jérémie 28, placé entre le premier siège de Jérusalem par Nabuchodonosor de Babylone en 597 et la chute finale en 587 avant notre ère, nous percevons la difficulté pour la population de la ville à discerner le vrai du faux prophète. L'un, Hananya, annonce la victoire finale de Dieu sur les Babyloniens, symbolisée par le retour des objets sacrés du temple de Jérusalem et de la famille royale, et exprime de cette façon une grande foi en Dieu qui sauvera son peuple. L'autre, son opposant, Jérémie, ayant proclamé auparavant l'inverse (en Jr 27) annonce que les objets sacrés, qui se trouvent encore dans le temple, seront également emportés à Babylone, si l'on ne se soumet pas au pouvoir du roi de ce grand empire. Jérémie dit : « Servez le roi de Babylone, et vous vivrez » (Jr 27, 17b). En fait il suggère au peuple israélite qu'il vaut mieux collaborer avec l'ennemi, que d'essayer de s'en libérer au moyen d'une conspiration contre les Babyloniens avec l'aide de cinq autres petites nations. Le prophète Hananya, par contre, prévoit une intervention divine au profit de son peuple en Palestine et de ceux déjà déportés.

Si l'on regarde ces deux approches de plus près, on ne peut nier que les prophéties d'Hananya sont plus courageuses et expriment plus de confiance en Dieu. La collaboration avec les maudits Babyloniens suggérée par Jérémie ne montre que peu de foi et point d'initiative pour sauver l'indépendance du peuple et de sa ville. Par contre, la raison pour laquelle Dieu a permis aux Babyloniens de s'emparer de la famille royale, des nobles, et des objets sacrés du temple ne joue pas de rôle dans le discours d'Hananya. Il pense que son peuple a été suffisamment puni par la première déportation, alors que Jérémie a perdu tout langage belligérant. Voilà une sorte de pragmatisme peu religieux, qui s'exprime par la simple constatation que la soumission est au moins une façon de sauver la vie des Israélites et de garder la ville et son temple. Il est évident pour Jérémie que Dieu se trouve derrière l'histoire, qu'Il la garde, et que les hommes doivent lui obéir afin de vivre. Il est en quelque sorte plus radical envers le peuple qu'Hananya, car pour lui le peuple se trouve toujours dans une zone de danger et Dieu n'est pas prêt à le sauver ; voici les conséquences de son comportement. Le peuple israélite a suscité des pouvoirs, qu'il ne peut stopper lui-même, et qu'il lui faut donc accepter jusqu'au moment où Dieu viendra à son aide. Il est donc aujourd'hui responsable de son propre avenir en acceptant son sort.

Nous pouvons constater que dans ces textes prophétiques, les guerres et la violence sont devenues des moyens entre les mains de Dieu pour morigéner son peuple et que les nations étrangères, les ennemis d'Israël, sont dépendantes de la volonté divine. Théologiquement parlant, c'est le Dieu d'Israël qui gère les nations en fonction de leur attitude envers son peuple élu.

Violence ou soumission : quel choix !

Le prophète Hananya est couché sur son fauteuil sous le porche de sa maison. Il regarde avec satisfaction le panorama de la ville de Jérusalem, sur laquelle le soleil se couche. Au loin, il voit se colorer les murs blancs brillants du temple avec l'orangé du soleil couchant. Il a passé une journée bien remplie et médite maintenant sur les événements des dernières heures. Ce matin, il est parti pour le palais du roi Sédécias, où il a eu une longue conversation avec le roi et ses conseillers au sujet de la situation politique actuelle ; s'ensuivirent un repas trop lourd et, rentré chez lui, une sieste troublée. Il a heureusement trouvé le temps de prier dans le temple et de s'entretenir avec le grand-prêtre. Avec un petit sourire ironique sur les lèvres, il constate qu'il se trouve maintenant au centre du pouvoir de la nation et qu'il fait partie des personnalités importantes de l'État de Juda. Ceci n'a pas toujours été le cas. Autrefois on voyait en lui un prophète provincial ; après tout il est originaire de Gabaon. Mais depuis deux mois tout le monde à Jérusalem le trouve intéressant depuis le jour où il a pris la défense de la ville et de ses habitants contre ce terrible Jérémie, qui croit avoir le monopole de la vérité. En parlant et en prêchant – il appelle ceci « prophétiser » – ce Jérémie se met tout le monde à dos et, par conséquent, il lui reste peu d'amis parmi la population de Jérusalem. Beaucoup de personnes en ont assez de lui, de ses sombres sermons, son appel à la justice et – ceci est encore la pire de choses – ses croyances très peu orthodoxes. Jérémie met la survie de la ville de Jérusalem et du temple de Dieu en question. Hanania se demande depuis quelques temps combien de jours la population de Jérusalem laissera Jérémie encore en vie. Cet homme, qui s'autodéclare prophète de Dieu, sape profondément le moral du peuple et de ses dirigeants. Mais cependant, il est issu d'une famille riche de la campagne, proche de la ville, prétendant être descendante d'Abiatar, le prêtre du roi héroïque David. Ceci empêche sans doute le roi de s'attaquer réellement à lui.

Ce Jérémie avec ses exhortations à la pénitence, à l'infini, avec ses prophéties de malheur, que devraient faire les gens simples de lui ? Plus particulièrement dans ce temps difficile, maintenant que les Babyloniens viennent menacer la ville de Jérusalem et qu'ils ont déjà déporté une bonne partie de l'élite hiérosolymite et pillé des trésors du temple. Pour lui, Hananya, il est temps d'annoncer un changement positif et d'encourager les gens vers le salut à venir. Mais, ce soi-disant prophète Jérémie, ne voulait pas être optimiste et inspirant. Il continuait sans cesse ses remarques négatives concernant les décisions politiques. Avec satisfaction Hananya se souvient de ce jour mémorable. Il y a presque deux mois, il se trouvait face à Jérémie : la confrontation d'un vrai prophète, comme lui, et d'un imposteur déprimé comme Jérémie. Ce dernier prônait, en utilisant des paroles lourdes comme « Ainsi parle le Seigneur », que le peuple devait accepter les faits comme la déportation de l'élite et des trésors du temple. Et si cela ne suffisait pas, il avait même ajouté que le reste du trésor du temple serait aussi pillé par les Babyloniens, si l'on ne se soumettait pas à eux. On n'en croyait pas ses oreilles. Pour lui, Hanania, c'était vraiment insupportable de voir la tristesse et la culpabilité descendre sur la population du fait de cet incroyable Jérémie. C'était comme si le peuple n'avait pas suffisamment souffert. Néanmoins l'homme continuait à inculper et accuser le peuple de laxisme et d'apostasie. Soudain, un sourire triomphant apparaît sur la face d'Hanania. Il est lui-même intervenu, ce qu'il aurait dû faire depuis longtemps. Là, sur l'esplanade du temple, il avait présenté au peuple déprimé un bon exemple de sa connaissance orthodoxe de la foi en Dieu. Il avait parlé du Dieu, qui aime la ville de Jérusalem et qui est amoureusement lié avec son peuple. Il a prophétisé, comme un vrai prophète, et a parlé au nom de Dieu du retour des trésors du temple, et du retour de la maison royale exilée, Yekonya, et de tous les autres exilés de Jérusalem.

Maintenant qu'il y pense, une fois de plus, il rayonne de joie et de bonheur. Voici le Dieu d'Israël, son Dieu et pas celui de Jérémie ! Cet horrible Jérémie se taisait... finalement. Il a commencé à bégayer et – oh triomphe de la grâce divine –, il a dit qu'il espérait que les mots d'Hananya étaient vrais. En y ajoutant qu'une telle prophétie heureuse devrait se réaliser dans le temps. Jérémie se montrait un mauvais joueur. Quelle absurdité de cet homme déçu, car ceci s'applique à toutes les prophéties, même celles de Jérémie ! Seul l'avenir montrera si elles sont vraies ou pas. Hananya a pris soin de parler d'une période de deux ans avant que sa parole prophétique se réalise. Et les dernières informations politiques, qu'il a entendues dans le palais ce matin, indiquent qu'il se passait des changements importants à Babylone. Son intuition et son expérience de Dieu étaient donc bonnes ! Il avait donné une théâtralisation impressionnante à ses paroles pour tous ceux qui étaient présents sur l'esplanade du temple. Pendant la discussion entre lui et Jérémie, il avait saisi le joug, que ce dernier avait mis sur son cou en guise de geste symbolique, comme pour ressembler à un bœuf ou un esclave, et l'avait brisé en morceaux. Comment merveilleusement et rempli de l'esprit de Dieu avait-il parlé de la libération de la puissance des Babyloniens ! Dieu l'inspirait, et il l'a bien fait comprendre. Jérémie s'en allait l'oreille basse. Sa prophétie, proclamée au nom de Dieu, était bien accueillie par le peuple et par ses dirigeants, en particulier par la cour royale. Ce qu'il constate encore, après deux mois, avec une grande satisfaction.

Cependant quelque chose le trouble, malgré sa victoire sur Jérémie. Ce qui s'est passé ensuite, l'a beaucoup marqué, plus qu'il ne veut l'admettre à ses amis. Son visage se durcit, lorsqu'il y repense. Jérémie lui avait rendu visite, sans prévenir, quelques jours plus tard. Il l'avait reçu avec respect pensant que Jérémie était venu parler de l'incident désagréable sur l'esplanade du temple. Peut-être lui offrirait-il même ses excuses pour son comportement. Et lui, Hananya, le prophète de Dieu, lui pardonnerait généreusement, comme il convient entre hommes civilisés. Mais rien de tout ceci. Jérémie était un mauvais perdant. Au lieu de faire un geste conciliateur, Jérémie a commencé à prophétiser contre lui sur un ton dur. Et ceci dans sa propre maison comme s'ils n'étaient pas collègues. Quand Hananya ferme ses yeux, il revoit même le doigt long tendu vers lui et les paroles funestes de Jérémie résonnent toujours dans ses oreilles : « aucune nation ne peut s'évader du joug imposé par Babylone ». Et Jérémie lui disait tout simplement qu'il était un faux prophète. Le comportement éhonté de ce soi-disant prophète, atteignait son sommet lorsqu'il lui annonçait sans ambages sa mort dans l'année.

Hananya pâlit en méditant ces mots pour la énième fois. Il s'interroge sur leur véracité. Hananya est-il avec ses mots d'espérance et de bonheur, un faux prophète ? Eh bien, non… Il a toujours suivi les enseignements théologiques classiques de son peuple : que le Dieu d'Israël aime sa ville, son temple et son peuple ! Il a toujours prêché cette bonne nouvelle, ces mots d'espoir. Il est impensable que Dieu, l'Éternel immuable, plein de miséricorde et de pardon, puisse se détourner de son peuple élu et aimé… Impossible et aucun signe d'incrédulité ne permet de le penser. Lui, le prophète Hananya, respecté de tous n'a pas tort, ne se trompe pas ! Eh bien, on peut faire des erreurs, mais un homme pieux et vertueux ne peut jamais se tromper en Dieu. Il est cependant gênant que Jérémie l'ait mis dans une telle confusion et que ses déclarations flottent depuis deux mois comme un nuage éminemment menaçant au-dessus de sa vie.

Entre-temps la nuit est tombée, et on a mis, sur la terrasse, une lampe à huile qui tremble dans le vent doux et frais du soir. Hananya se lève de son siège et du balcon de sa terrasse surplombant la ville, il voit partout les petites lampes allumées dans les maisons qui forment cette communauté chérie et tant connue de lui. Les feux aux angles du temple brûlent clairement dans la nuit. Quelle belle ville, quel temple – maison de Dieu – prestigieux… S'il y a un endroit sur la terre qui est surveillé par Dieu lui-même, c'est bien cette ville de Jérusalem et son temple. Hananya en a les larmes aux yeux. À cause de la beauté de ville ? À cause du temple impressionnant ? À cause de la relation particulière entre cette ville et ce temple et Dieu

Tout-Puissant ? À cause de sa foi inébranlable dans le Dieu de son peuple ? Il ne sera jamais capable de répondre à cette question, parce que tout d'un coup la vie glisse de son corps et il s'effondre brutalement sur la terrasse…

VIVRE COMME CHRÉTIEN EN TEMPS DE CRISE : MATTHIEU 10,1

Il est évident qu'avec la venue de Jésus, sa prédication et son exemple, le monde n'a pas tout à coup été changé en un paradis de paix et de bien-être. Jésus le note déjà quand il envoie ses disciples pour la première fois en une sorte d'apprentissage, avec une mission claire : découvrir le monde en tant qu'apôtres. Avant de les envoyer deux par deux, selon Luc 10,1 (qui parle de 72 personnes, lorsque Mt 10,1 ne parle que des 12 disciples), Jésus leur dit : « Voici que moi, je vous envoie comme des brebis au milieu des loups ; soyez donc rusés comme les serpents et candides comme des colombes » (Mt 10, 16) [Luc 10,3 n'ayant que « Voici que je vous envoie comme des agneaux au milieu des loups »].

Le loup est un animal mal vu dans les textes bibliques ; son image est en général assez négative et violente[3]. Déjà les prophètes dans l'AT, comme Jérémie (Jr 5, 6 : « ils seront ravagés par les loups des steppes »), Sophonie (So 3, 3 : « ses juges, des loups au crépuscule, qui n'ont plus rien à ronger au matin ») et Habaquq (Ha 1,8 : « ils ont plus de mordant que les loups du soir ») réfèrent aux loups comme des bêtes dangereuses pour l'homme surtout pendant la nuit. En quelque sorte, ils sont devenus l'image des hommes mauvais, qui ramassent le butin (Gn 49, 27 : « Benjamin est un loup, il déchire, le matin il mange encore, et le soir il partage les dépouilles ») ou profitent des personnes plus faibles, comme en Ezékiel (Ez 22, 27 : « Ses chefs sont au milieu d'elle comme des loups qui déchirent une proie, prêts à répandre le sang, à faire périr les gens pour en tirer profit »). Dans le NT ce sens péjoratif de l'animal est repris. Dans les paroles de Jésus : « Gardez-vous des faux prophètes, qui viennent à vous vêtus en brebis mais qui au-dedans sont des loups rapaces » (Mt 7, 15). Et dans la parabole du bon berger (Jn 10), Jésus décrit une situation bien connue dans son temps, d'un loup qui s'approche des brebis, restés sans protection car le berger s'est en allé, les dévore et les disperse (v. 13). Paul s'exprime de la même façon, quand il dit aux anciens de l'église d'Éphèse : « Je sais bien qu'après mon départ s'introduiront parmi vous des loups féroces qui n'épargneront pas le troupeau : de vos propres rangs surgiront des hommes aux paroles perverses qui entraîneront les disciples à leur suite » (Ac 20, 29 s.).

Dans les textes, la notion de violence physique et psychologique, quand ils réfèrent aux bêtes, est bien représentée. Les loups sont d'un côté des bêtes sauvages, qui déchirent hommes et femmes et autres animaux, et de l'autre les images de personnes mauvaises, corrompues et intéressées à leur propre profit. Il n'est pas anodin que le prophète Esaïe voit la pacification du loup comme signe du royaume de paix (Es 11, 6 : « Le loup habitera avec l'agneau » et

Es 65, 25 : « Le loup et l'agneau brouteront ensemble »). Car ici toutes les oppositions entre bête et être humain, et entre hommes sont supprimées pour aboutir à une situation de bien-être et prospérité : la paix messianique.

Mais c'est dans un contexte de violence que nous devons lire le texte de Matthieu, où Jésus dit : « Voici que moi, je vous envoie comme des brebis au milieu des loups ; soyez donc rusés comme les serpents et candides comme des colombes » (Mt 10, 16). L'image des brebis au milieu des loups est suffisamment claire : les brebis, les disciples de Jésus et ceux qui croient en lui, sont vulnérables et incapables de se défendre contre les loups – notons que nous lisons ici aussi bien une description de la réalité des chrétiens, que de leur attitude désirée. Et qui sont ces loups ? Il est imaginable que l'évangéliste Matthieu réfère à ceux qui persécutent les membres de l'Église récemment constituée. Dans ce sens on pourrait même être plus explicite en pensant aux chefs juifs, parmi lesquels figurent les prêtres, les Pharisiens et les maîtres de la Loi. Il est également possible que le mot loups ait un sens encore plus large et implique tous ceux qui maltraitent, persécutent et tuent les chrétiens pendant la deuxième partie du Ier siècle, les Romains inclus.

Les chrétiens n'ont que peu d'armes contre ce fléau de violence ; d'abord parce qu'ils seront, selon la parole de Jésus, non violents, et ensuite parce que les outils, que Jésus leur donne, sont de caractère psychologique et utilisables pour l'autoprotection contre les attaques des autres. Les disciples doivent être « rusés comme les serpents » ; « rusés » dans un sens positif. Comme les serpents, ils seront alertés, bien conscients de ce qui se passe autour d'eux, vigilants dans leurs actes et leur comportement, donc en général pondérés. En quelque sorte, ceci pourrait résulter en une attitude de se tenir à distance des autres, mais l'implication des chrétiens dans la société religieuse et civile exclut tout comportement, qui mène à se cacher. Car « être candide comme des colombes » ne s'appliquent que dans les contacts ouverts et publiques avec autrui : les chrétiens seront, selon Jésus, purs, intègres, intacts, innocents, naïfs et spontanés. Ces qualités font d'eux ses vrais successeurs.

Il est évident que toute notion de violence, de payer un œil pour un œil, de rendre le mal pour le mal, est absente dans son discours. Dans un monde inique et violent, les disciples de Jésus seront sages, compréhensifs et humains dans le sens le plus profond du mot.

Être croyant en Jésus

La nuit tombait sur le petit village dans la montagne de Galilée ; les gens rentraient chez eux pour manger, échanger sur ce qui s'était passé pendant la journée, et ensuite dormir. Le jeune Jonathan semblait être l'exception, car il prenait le chemin à travers la forêt, dans la direction de la vieille ferme. Là-bas se réunissait en grand secret et bien caché des yeux et des oreilles d'autres personnes, un petit groupe de messianiques. Ce soir, on avait prévu de se retrouver autour de la liturgie du pain et du vin, une narration sur les paroles de Jésus, suivie d'une discussion sur la façon de vivre selon Jésus.

Ayant frappé trois fois six petits coups à la porte (trois fois, la confession : « Jésus est le Messie »), elle s'entrouvrit pour le laisser glisser dans la pièce, où se trouvaient environ une dizaine de personnes. La porte refermée, on se saluait cordialement et quelques-uns commençaient à raconter ce qui s'était passé dans les villages aux alentours de la ferme, jusqu'à ce qu'une femme vêtue de blanc batte des mains. Instantanément tout le monde se tut et trouva une place pour s'assoir autour d'elle. « La grâce et la paix de Jésus, le Messie, sont avec vous », disait-elle. « Amen », était la réponse des autres. Elle entonna un cantique simple que les autres reprenaient en chantant. Elle prononça ensuite une longue prière, dans laquelle elle mêlait louanges de Dieu et problèmes de la petite communauté messianique. Jonathan avait les larmes aux yeux lorsqu'elle parlait des familles déchirées, des parents qui trahissaient leurs enfants aux chefs de leurs villages.

Quelques instants plus tard, la femme, qui avait connu et suivi Jésus pendant sa vie terrestre, invita tout le monde à s'approcher d'une table sur laquelle se trouvaient une boule de pain et un gobelet rempli de vin. Elle répétait les paroles connues : « Dans la nuit où il fut livré, Jésus prit du pain… il le rompit… il dit : ceci est mon corps pour vous… » Lorsqu'elle donna à chaque personne un morceau de pain, une pensée triste et tout de même pleine de confiance surgissait en Jonathan. Oui, il avait besoin d'être pardonné par Jésus, et de faire partie de son peuple, car combien de fois n'avait-il pas senti l'agression monter en lui, la violence physique et psychologique l'inciter à agresser ceux qui le heurtaient et lui faisaient du mal. Ce morceau de pain, cette présence de Jésus, qui s'était donné pour ses amis et aussi pour lui, le renforçait à dans sa volonté à résister au mal présent en lui. La femme continuait ses mots et gestes en présentant aux membres présents le gobelet rempli de vin. Finalement elle prononça la bénédiction d'Aaron et commença un récit sur la vie de Jésus.

Jonathan avait des difficultés à l'écouter, tant il était occupé par ses propres pensées, jusqu'à ce que la femme commence à raconter l'histoire de Jésus envoyant ses disciples en mission deux par deux. Ils devaient là découvrir la difficulté du rôle d'apôtre, comment faire sans Jésus à côté d'eux, parlant et agissant en son nom. Elle était présente lorsque Jésus les a envoyé en reconnaissance, tâche ardue, avec ces mots : « Voici que moi, je vous envoie comme des brebis au milieu des loups ». Il manifestait ainsi que les gens qu'ils allaient rencontrer, ne seraient pas toujours accueillants et sympathiques. Leur message ne serait certainement pas reçu positivement parmi leurs auditeurs. Et le conseil que Jésus leur a donné était simple : « Soyez donc rusés comme les serpents et candides comme des colombes ». Après ces mots, la femme se taisait et regardait autour d'elle les visages de son auditoire ; des hommes et des femmes fatigués, mais attentifs, attendant la suite de son discours, probablement profondément intéressés par le sens de cette admonition de Jésus.

« Comprenez-vous, chers amis, ce que Jésus veut dire à ses disciples, envoyés dans notre monde dangereux ? Comprenez-vous, chers amis, ce que Jésus veut dire à nous, ses croyants, vivants dans notre monde plein d'agression, de trahison, et de violence ? » Un des hommes répondit à cette question, qui selon Jonathan était rhétorique, et dit : « Oui, il faut être comme un serpent, qui se cache et qui mord sa victime au moment où elle ne s'y attend pas ! » Il regarde autour de lui avec un air de triomphe. « Taisez-vous, diable ! », réagit véhémente la femme sans pour autant s'adresser à une personne en particulier. Et regardant autour d'elle elle continua : « Ce n'est pas seulement lui, qui pense ça ; vous tous êtes accaparés par ces pensées diaboliques ! » « Mais, criait une autre personne, les serpents sont comme ça… et Jésus lui-même nous incite à être comme eux… » « Et que pensez-vous des loups, ces hypocrites ? », ajoutait un autre. « Mais vous n'avez rien compris de Jésus !, rétorqua-elle, vous utilisez ses paroles à votre convenance ! ». Les hommes et les femmes présents parlaient de plus fort en plus fort. « Silence, dit-elle, et asseyiez-vous ! » Sa voix impressionna et le calme regagna la pièce. « Je vais vous expliquer, ce que Jésus a voulu dire en se servant de l'image des quatre animaux : la brebis, le loup, le serpent et la colombe. Les deux adjectifs des derniers animaux sont peut-être même plus importants : rusé et candide. Vous donnez un sens péjoratif au mot "rusé" mais Jésus voulait surtout que ses disciples sachent tout ce qui se passe dans notre monde, ayant les yeux et les oreilles ouverts pour discerner les menaces et les possibilités qui se présentent, et soient vigilants au comportement des autres ; d'autant plus qu'il nous voulait candides, c'est-à-dire avoir des contacts purs et intègres, et être innocents, naïfs et spontanés ».

Elle avait à peine fini cette phrase que Jonathan criait à haute voix : « Mais que dites-vous ? Ce n'est pas possible ! Vivre parmi les gens qui te haïssent et n'être que candides et vulnérables, vous faites de nous de faibles victimes ! Nous, qui sommes entourés de vautours, les Juifs qui nous chassent de leurs synagogues ; les Romains qui nous soupçonnent d'être des révoltés parce que nous ne nous inclinons pas devant leurs empereurs, soi-disant divins ; les villageois qui nous livrent aux autorités civiles et religieuses car ils nous pensent dangereux ; et même les membres de nos familles, parents inclus, qui ont si peur des représailles qu'ils nous abandonnent et nous trahissent ! Et qu'avons-nous ? Votre conseil d'être rusés et candides… non violents. Vous ne savez pas de quoi vous parlez ! » La sueur se répandait sur le visage de Jonathan, qui de toute sa vie n'avait jamais été aussi fâché et énervé.

Un silence de plomb avait envahi la pièce. On regardait à la fois Jonathan et la femme, car chacun se rendait compte qu'entre eux se trouvait le vrai thème de toute réflexion sur la mission de Jésus : comment se comporter dans un monde hostile et agressif ? Comment se montrer dans le monde comme de vrais croyants en Jésus ? Après un bon moment la femme reprit la parole : « Sœurs et frères en Jésus, le Messie, ce que Jonathan a dit est complètement vrai et complètement faux ! » Ses auditeurs étaient frappés d'étonnement : comment une chose peut-elle être vrai et fausse en même temps ? Elle poursuivit : « Jonathan, comme vous tous, comme nous tous, souffre de la violence de ceux qui l'entourent. Le monde n'a pas reconnu et n'a pas accepté que Jésus soit le verbe de Dieu fait chair. Donc il est resté dans les ténèbres sans que la lumière de Dieu l'ait illuminé. Ni la croix, ni la résurrection n'ont changé l'attitude des Juifs et des Romains, pourtant coupables de la mort de Jésus ; pire, ils ont continué à travailler ensemble à anéantir son message, de telle façon que ceux avec qui nous habitons, travaillons et vivons sont prêts à les aider pour faire taire les messagers de la bonne nouvelle. »

Elle fit une pause un court instant pour laisser pénétrer ses mots dans son auditoire. « Mais la question la plus profonde et la plus importante pour ces messagers de Jésus est : devons-nous devenir comme ceux qui nous haïssent et trahissent ? La colombe nous donne la réponse : elle est belle, blanche comme le Seigneur ressuscité, elle semble naïve lorsqu'elle vole et descend pour manger ou boire, mais elle ne se laisse pas facilement capturer par les hommes. Car, même quand elle annonce sa venue, elle reste ce qu'elle est, un oiseau qui s'envole librement dans le ciel. Les rapaces, pourtant très agressifs et dangereux, sont la plupart du temps incapables de la capturer, car elle sait se cacher intelligemment. Jamais la colombe ne devient comme un oiselet ou comme un rapace… elle reste ce qu'elle est, une colombe qui se montre dans le ciel. » Et s'adressant à Jonathan la femme posa cette seule question : « As-tu compris le message de ton Seigneur, Jonathan ? » Jonathan la regardait avec des larmes aux yeux et, avec un profond soupir, il murmura : « Oui, que Dieu m'aide… » Les autres entonnèrent doucement un cantique de louange et la pièce s'emplit d'un esprit serein.

PAS DE VIOLENCE, DE GUERRE, D'ENNEMIS, OU D'ÉTRANGERS, QUE LA PAIX (AP 21-22)

La Bible chrétienne commence par un texte de paix (voir ci-dessus p. 183-195, Dieu de paix) et se termine également par un texte de paix dans l'Apocalypse. Ce dernier livre de la Bible est, en soi, plein d'images de violence, de guerres, d'hostilité et d'opposition. Mais sa teneur et son intention est d'aider, de consoler et d'inspirer les hommes et les femmes qui se trouvent dans une situation d'oppression, de peur, d'angoisse et de souffrance. Dans ses deux derniers chapitres, l'auteur appelle cette situation « la première terre » qui a, avec le premier ciel, « disparue » (Ap 21, 1). Cette première terre, vue du côté humain, est le monde des larmes, de la mort, du deuil, de la lamentation, de la souffrance et des difficultés. Pour mettre fin à ce côté sombre et désastreux, qui rend les hommes malheureux, Dieu créera « un ciel nouveau et une terre nouvelle ». Nouveau dans le sens de *totaliter aliter*, de qualité inaltérable et incorruptible, comme la création devait l'être, et donc pour retrouver sa destination originelle.

Cette vision d'une nouvelle création est si importante que l'auteur de l'Apocalypse, Jean, répète le mot « nouveau » quatre fois dans les cinq premiers versets du chapitre 21, culminant en Dieu qui parle pour la première fois dans son livre, lorsqu'Il dit : « Voici, je fais toutes choses nouvelles » (v. 5). « Nouveau », dans ce contexte, ne veut pas dire que Dieu refait sa propre création ; au contraire,

Il créera une terre et un ciel qui ne seront plus séparés et qui seront surtout différents dans leur relation à Dieu. Il n'a pas l'intention de créer un autre monde, il veut parfaire sa création. Et, ce faisant, cette nouvelle terre, la création originelle, sauvée, intacte, fraîche, apparaît.

Un des signes de cette création est l'absence de la mer : « et la mer n'est plus » (v. 1c). La mer est l'image de ce qui menace et de ce qui est chaotique. La mer est l'endroit des démons ; les tempêtes y règnent ; où se trouve la mer, il y n'a pas de terre sèche, donc pas de place pour la vie humaine. Cette menace et cet empêchement pour l'homme de vivre, a disparu avec le premier ciel et la première terre. Dans cette création nouvelle, le ciel et la terre se touchent, car Dieu se trouvent parmi les hommes : « Voici la demeure de Dieu avec les hommes. Il demeurera avec eux » (v. 3). Et le plus étonnant est l'endroit où tout ceci aura lieu : « Et la cité sainte, la Jérusalem nouvelle, je la vis qui descendait du ciel, d'auprès de Dieu. » C'est dans cette ville nouvelle que Dieu demeurera parmi les hommes.

À la fin des temps le monde prend une autre forme : la Bible commence avec un jardin, mais elle se termine avec une ville. Or l'achèvement n'est pas simplement un retour mais un développement. Ceci est d'autant plus étonnant que la ville et la vie *intra muros* sont en général assez mal vues dans les traditions bibliques. La ville est l'endroit de l'aliénation, de la solitude, de l'anonymat, de la criminalité, de l'immoralité, du manque de foi et de pratiquants, et surtout du manque de cohésion sociale et de communauté. La cohue, le vacarme, la puanteur y règnent. En fait, encore de nos jours, on a des difficultés à valoriser suffisamment la ville, bien que plus de la moitié de la population mondiale est urbaine. Aussi l'Église a des difficultés à s'adapter à la spécificité de la vie citadine. Combien de communautés religieuses ne se comportent-elles pas comme des paroisses de campagne ou de village, où tout le monde se connaît, où le prêtre et le pasteur sont des personnes importantes, et où la vie religieuse imprègne encore les comportements des villageois ? On déconseille aux jeunes croyants d'aller habiter en ville pour ne pas y perdre la vraie foi[4]. Notons qu'à la fin du livre de l'Apocalypse, et donc de la Bible, même la ville n'est plus un endroit de violence et d'intolérance, mais de présence divine, de bien-être, de foi et de paix.

La particularité de cette ville, la nouvelle Jérusalem, est son ouverture vers le monde entier. Car Jean écrit : « Voici la demeure de Dieu avec les hommes. Il demeurera avec eux. Ils seront ses peuples et lui sera le Dieu qui est avec eux. » Une citation élaborée, interprétée et appliquée du texte d'Ézéchiel 37, 27s., « Ma demeure sera auprès d'eux : je serai leur Dieu et eux seront mon peuple. Alors, les nations connaîtront que je suis le Seigneur qui consacre Israël, lorsque je mettrai mon sanctuaire au milieu d'eux, pour toujours ». Dans les prophéties d'Ézéchiel, Dieu s'oriente sur un seul peuple, le peuple d'Israël, avec qui Il a un lien particulier, tandis que les autres nations peuvent y être des témoins. Or, dans l'Apocalypse, son auteur voit que Dieu ouvre les portes de la cité sainte, descendue sur la terre, dans toutes les directions ; trois portes à chacun des quatre côtés de la ville, qui ne seront jamais fermées (Ap 21, 25). Dans sa vision, « le peuple » devient « les hommes » ; donc toute l'humanité peut entrer dans la nouvelle Jérusalem, qui, n'ayant pas de sanctuaire, est le domicile de Dieu. Dans cette ville nouvelle il n'y a ni ennemis ni étrangers.

Le signe par excellence de l'humour pacifique de cette nouvelle terre est que les rois des nations apporteront leur gloire et l'honneur à la cité. Il n'y a pas de violence, il n'y a que la gloire de Dieu dans ce nouveau monde. Le bien-être se manifeste dans le fait que la souffrance d'origine humaine – ce qu'un homme peut faire à un autre – n'existe plus, mais aussi toute autre forme de douleur est absente : Dieu essuiera toute larme des yeux des êtres humains ; la mort ne sera plus, donc pas de deuil, ni de cri, et la souffrance n'existera plus. Ces aspects du monde ancien ont disparu ; et avec eux, tout ce qui pourrait faire du mal aux hommes. Voici l'expression au sens le plus large du mot « paix ».

Rêver sans fin

Ce jour ensoleillé, une femme passe le seuil élevé de cette vieille basilique d'une petite bourgade bourguignonne. Elle est curieuse de voir ce que ce vieux bâtiment est encore capable de lui montrer car, passionnée d'architecture médiévale, elle connaît, selon elle, déjà la quasi-totalité des momuments et les détails spécifiques de cette époque romano-gothique. Quelque peu blasée, elle n'attend aucune nouveauté de cet édifice. Après que ses yeux se sont accoutumés à l'obscurité dans le bâtiment sans autre éclairage que les petites fenêtres hautes de la nef au-dessus des piliers, elle regarde d'abord à droite, à gauche puis à travers les piliers, vers les bas-côtés et les chapelles. Le style est impeccablement conservé et les remaniements des siècles sont d'une subtilité particulière. En fait, rien ne l'enchante ; la basilique est belle et impressionnante, mais elle apporte peu d'inconnu ou d'excitant pour la femme.

Elle progresse dans l'édifice et enfin arrive à la croisée du transept et s'arrête : ses yeux sont attirés par le mur de l'abside, derrière le maître-autel, éclairé par six vitres minuscules, en dessous desquelles sont écrits quelques caractères gothiques. Voici quelque chose d'original dans cette basilique, ce qu'elle n'a pas vu ailleurs. Un texte presqu'illisible, par le manque de lumière, est inscrit, qui reste probablement inaperçu de la plupart des visiteurs. Aujourd'hui il est visible grâce aux rayons clairs du soleil qui traversent les vitres ; elle le lit lentement *ECCE NOVA FACIO OMNIA*. Sa connaissance du latin est suffisante pour pouvoir traduire ces quatre mots en français : « Voici, je fais toutes choses nouvelles ». Elle se demande d'où vient ce texte, car elle n'en connaît pas les origines. Pour elle c'est un drôle de texte dans une vieille basilique, surtout parce qu'il n'a aucun sens ; ce qui l'intrigue.

Elle décide de se renseigner auprès du sacristain. Elle voit alors une sonnette sur une des portes du transept et sonne. Une femme quinquagénaire se présente et elle lui demande si elle peut lui donner des informations sur la basilique. La sacristaine l'invite à entrer dans la pièce et à s'asseoir. « Quelle est votre question ? » La visiteuse explique qu'elle n'avait jamais vu un texte ancien écrit sur le mur d'une abside, et veut savoir le sens de ces mots : « Voici, je fais toutes choses nouvelles ». L'autre lui répond qu'elle n'a que peu de connaissance en art roman ou gothique, mais qu'elle connaît l'origine de ces mots. « Ils viennent du livre biblique de l'Apocalypse qui contient les paroles divines ; c'est Dieu lui-même qui parle. » La visiteuse réagit sur un ton cynique : « Et vous y croyez ? » « Oui, c'est une promesse divine et nos attendons sa réalisation : un monde meilleur sans souffrance ». « Ce n'est pas possible… regardez autour de vous, s'il vous plaît ; suivez la télé ou lisez les journaux. C'est le chaos partout, et ça devient de pire en pire : les guerres, la violence, la haine, chacun est le concurrent ou l'ennemi de l'autre, les sociétés qui craquent sous l'afflux des étrangers, le climat qui change et détériore les possibilités de protéger et de nourrir chacun. C'est stupide d'y croire, vous êtes une rêveuse, pire un songe creux… »

La sacristaine, qui s'est tut pendant cette explosion d'émotion et d'agressivité à son égard, la regarde longtemps, tremblante. Finalement calmée, elle dit : « Vous avez beaucoup souffert pendant votre vie et ce mal vous a accaparé totalement ; dommage, car il ne vous reste maintenant que peu d'espérance en l'avenir. » Bouleversée par ces mots révélateurs, la visiteuse baisse la tête et éclate en sanglots. L'autre se penche sur elle et essaie de la consoler en mettant une main sur son épaule, mais la femme se dégage. Sur un ton agressif elle réplique : « Dites-moi, êtes-vous si stupide pour croire en ce genre de contes de fées ? » La sacristaine, remise de ses émotions, dit doucement : « Laissez-moi vous raconter ce que je fais dans la vie et peut-être allez-vous comprendre la raison de ma foi et de mes espérances ».

Sans attendre la réaction de la femme, elle commence à raconter ses activités journalières. Elle travaille comme assistante sociale dans un quartier sensible de la grande ville d'à côté. Là-bas elle s'occupe entre autres de l'accueil d'ex-détenus et de ceux, légaux ou illégaux, qui se sont enfuis de leur propre terre d'origine et qui cherchent un toit. En fait, hors de sa charge formelle, elle visite les familles et les personnes chez elles, leur donne des conseils et de l'aide, comme par exemple en remplissant des formulaires officiels avec eux. Elle a récemment formé un groupe de ces usagers, qui se rencontrent une fois par semaine pour discuter ensemble des questions et des expériences qu'ils ont eues dans leurs vies quotidiennes ici en Bourgogne. Une gamme de thèmes est ainsi échangée comme l'éducation et la scolarisation des enfants et surtout des jeunes, les contacts avec les autorités en particulier la police, les rapports matrimoniaux différents de leurs pays d'origine et, plus délicat, la confrontation avec une société ouverte à la sexualité de toutes sortes.

Tout à coup la femme l'interrompt brutalement : « Qu'est-ce que tout ceci a à faire avec le texte biblique et votre foi, vous me racontez simplement votre travail ! » Sans s'énerver de cette interruption, la sacristaine reprend la parole : « Vous considérez travail et conviction comme deux choses tout à fait séparées ; le travail est pour vous seulement une façon de gagner votre vie. Et vos convictions se limitent à votre vie privée. Pour moi mon travail est ma vocation, et l'expression de ma foi. Je vois une société devenue complètement folle, incohérente et ingouvernable. Je vois les victimes d'un monde, qui s'agrandit chaque jour et laisse les êtres humains dans le vide. Je vois les courageux de toutes origines et couleurs, qui se battent, parfois en vain, pour leur humanité et leur respectabilité et celles des autres. Et me voici, qui crois que le malaise général n'est pas le dernier mot, qu'on peut en parler, car un nouveau monde nous attend, selon la promesse divine ; et je fais ce que je peux pour changer la situation journalière de ce groupe que j'accompagne. Nous essayons ensemble de rénover la condition humaine ».

De nouveau elle est interrompue par sa visiteuse : « Oui, mais on ne peut jamais totalement changer le monde ; surtout pas si vous êtes si peu nombreux. » « Non, en effet, nous ne pouvons pas changer le monde ; nous ne pouvons pas recommencer, car notre monde ne se refait pas. Notre mission est de l'achever, de le compléter d'une telle façon que tout le monde puisse y vivre librement, joyeusement, en bonheur et en prospérité. La création, comme nous appelons notre terre, viendra ainsi à sa destination. Probablement, nous, les hommes, ne sommes-nous pas capables d'y arriver complètement, mais nous allons dans la direction de parfaire nos conditions de vie. Et à un certain moment, en route vers un avenir vivable, Dieu interviendra et finira le travail. Je ne suis qu'une petite contribution à la réalisation de ce nouveau monde. Vous direz que c'est mon rêve et vous avez tout à fait raison. Moi je crois qu'il est réel… Et vous, c'est à vous d'y réfléchir. »

Cette fois-ci la femme ne l'interrompt pas, mais la regarde, incrédule. Elle se lève soudainement de sa chaise, lui tend la main : « Si vous le dites… et merci pour l'explication de texte. Au revoir ». « Au revoir, et si vous voulez parler de quelque chose, soyez la bienvenue ». Elle quitte la sacristie sans se retourner, se rend à la porte d'entrée de la vieille basilique et, revenue dehors dans la clarté du soleil, se demande si elle a découvert quelque chose de nouveau dans cet édifice ou dans cet échange… « Voici, je fais toutes choses nouvelles ». Elle ne le sait pas.

III

UNE THÉOLOGIE DE LA LIBERTÉ

Si les chrétiens ne défendaient plus la violence et les guerres, parce qu'ils ont compris le message biblique de la paix ? Et si nous ne parlions plus d'un Dieu violent, mais de Dieu qui libère de toute agressivité et angoisse ? Comment réalisons-nous une telle liberté ? Esquissons quelques idées.

4

L'image du Dieu de la libération

Bien que les textes traitant de la guerre, dans la forme actuelle de l'AT, trouvent leur origine dans une époque de grandes difficultés de l'existence du peuple israélite, nous ne pouvons pas nier que l'ancienne image de Dieu connaissait bien des aspects guerriers. En particulier, les actes libérateurs de Dieu pour le bien-être de son peuple sont indéniablement violents. Beaucoup d'ennemis d'Israël périssent par toutes sortes de catastrophes ou de calamités, pour lesquelles les auteurs bibliques indiquent une origine divine. Sinon, les opposants d'Israël sont mis à mort par la main des Israélites avec un apparent consentement de Dieu. Dieu et la violence sont dans la foi d'Israël et dans sa littérature deux conceptions difficiles à séparer. Essayons dans ce chapitre de voir de plus près la position biblique de Dieu envers la violence, en étudiant l'intention des auteurs au travers de leurs récits.

La Bible réfère régulièrement à la réalité humaine agressive et ne nie pas que les actions libératrices de Dieu en faveur de son peuple soient « guerrières » et « violentes » mais sa description de la réaction divine au comportement violent de l'homme est, elle aussi, significative. Car bien que Dieu ne parvienne pas à arrêter Caïn sur le chemin de la violence envers son frère, une fois le meurtre d'Abel commis, Dieu agit pour limiter l'agression et la vengeance humaine en mettant un signe sur Caïn : « Si l'on tue Caïn, il sera vengé sept fois » (Gn 4, 11-16). Ainsi le double effet de la violence – l'effet boomerang : elle revient sur qui en use et l'effet boule de neige : elle se multiplie – devrait s'arrêter. Malheureusement cette initiative divine n'a pas eu de résultat car dans les narrations suivantes, nous pouvons lire comment l'agressivité de l'homme se répand, avec de surcroît l'augmentation rapide de la population terrestre (Gn 6, 5). Voici l'origine de l'intention divine de détruire l'humanité (Gn 6, 12), car, à cause des hommes « la terre est remplie de violence » (Gn 6, 13). Le déluge suit, impliquant une autorestriction de la violence destructrice de Dieu (Gn 9, 11), dont le signe est l'arc-en-ciel. Mais l'homme poursuit néanmoins son chemin de violence.

Pour l'humanité se sont les lois qui forment une restriction au comportement agressif d'une personne envers l'autre. Comme on peut le voir, dans le décalogue : « Tu ne commettras pas de meurtre, d'adultère, ou de rapt ; tu ne témoigneras pas faussement contre ton prochain et tu n'auras pas de visées sur la maison de ton prochain » (Ex 20, 13-17). Ces règles ne sont pas que des restrictions, elles peuvent également être interprétées comme autant d'incitations positives. Elles ont un caractère éducatif, faisant réfléchir les humains sur leur propre comportement et aller, comme Dieu, plus loin, abandonnant spontanément la violence. Ceci devrait créer entre les hommes une ambiance de non-violence, dont parle Deutéro-Esaïe dans les chants du Serviteur du Seigneur (Es 42, 1-4 ; 49, 1-6 ; 50, 4-9 ; et 52, 13-53, 12), et laquelle a été proclamée par Jésus durant toute sa vie (voir le Sermon sur la montagne ; Mt 5, 38-42) et montrée par sa souffrance.

Nous pouvons nous demander si les auteurs de la Bible n'ont pas décrit Dieu comme sont les hommes, comme eux. Donc au lieu de « Dieu créa l'homme à son image », « l'homme créa Dieu à son image ». Ceci compte surtout lorsqu'il s'agit de violence et de la participation divine dans les guerres. Bien qu'on puisse dire que la cruauté de Dieu est un reflet de la cruauté des hommes, il choque le lecteur croyant. Comme, par exemple, dans les narrations, où nous voyons la violence clairement formulée : deux récits de sacrifices d'enfants (en Gn 22, Abraham et Isaac, sur l'ordre de Dieu, et en Jg 11, 29-40, Jephté et sa fille, à cause d'un vœu du père), qui dans le contexte religieux de leur époque n'étaient pas inhabituels. Dans le premier récit, il est évident qu'il va contre ce sacrifice ; mais parce que c'est Dieu qui demande à un père de sacrifier son fils, beaucoup de lecteurs le trouvent inacceptable.

Un autre thème est également difficile à accepter par l'homme moderne : le Dieu guerrier. Dans l'AT, nous rencontrons Dieu aussi bien dans le rôle de commandant en chef de l'armée des hommes, que de combattant autonome pour son peuple. Le premier rôle, comme participant dans les actes militaires, implique qu'Il est entouré par des personnages humains, les Israélites, qui en réalité font la guerre contre leurs ennemis ; et le second qu'Il livre tout seul la bataille contre les ennemis d'Israël. La transition entre ces deux images de Dieu est graduelle et subtile. Nous avons constaté que dans les textes anciens, la Personne de Dieu reste plus à l'écart des activités humaines et dans les textes remaniés, Dieu est de plus en plus impliqué dans les actes guerriers de son peuple, pour finalement être le Seul à se battre. Cette idée du Dieu prêt à combattre, qui ne se soustrait à aucune possibilité concrète d'intervention, rejoint la formulation prophétique de l'implication de Dieu dans les heurts et les malheurs de son peuple. Tout ceci exprime sa fonction comme Dieu des tribus et comme Dieu qui règne sur la nature.

À chaque fois, les auteurs bibliques nous racontent qu'Il est le Dieu du peuple israélite, qu'Il le protège avec tous les moyens possibles, même naturels. C'est ainsi que la Bible nous raconte que Dieu intervient et combat en faveur de son peuple sous des formes cosmiques, rompant les lois naturelles, dépassant une guerre ordinaire : par le tonnerre, la grêle ou les grêlons, le tremblement de terre, le soleil, la lune, l'eau, « les étoiles ont combattu de leur orbite », le torrent, le bruit. Même en dehors des batailles, Dieu sauve Israël par une colonne de nuée et de feu ou un fort vent d'Est. Le titre ancien par excellence du Dieu de la Bible est Sauveur. Il sauve son peuple en concrétisant les gestes de ses créatures : Moïse étend sa main et Dieu fait refouler la mer par un vent puissant (Ex 14, 21). Dieu agit en parlant, en voyant, en écoutant, en combattant, en « sortant devant son peuple » De nouveau, les auteurs accentuent que ces actes sauvent de tous les maux imaginables Israël de l'emprise de ses ennemis ; pour finalement mener à la glorification de Dieu devant les peuples de la terre.

Pour indiquer les intentions divines, envers son peuple, une expression en particulier est important : « ne crains pas » ; dans la Bible on retrouve partout cette phrase dans la bouche de Dieu, de Jésus, des anges, des prophètes et des apôtres. À chaque fois, elle exprime la volonté de libérer les auditeurs de leur angoisse. Dans le contexte guerrier, elle veut dire : Dieu protège et sauve ; Il libère de la détresse, c'est pourquoi ni les hommes d'Israël, ni leurs commandants n'ont à craindre, ni à se décourager. Et ceux qui lisaient ou entendaient ces récits pouvaient vivre plein de confiance et de foi en Dieu qui leur donnera la liberté et les sauvera du mal. Lorsque nous lisons aujourd'hui ces récits bibliques, il faut bien avoir à l'esprit ce sens profond de délivrance, avant de poser aux textes des questions éthiques auxquelles ils ne peuvent pas répondre.

ÉVALUATION

Le thème de la guerre voulue par Dieu ou gagnée avec son aide, demande donc quelques nuances. Il est indéniable que la guerre joue un rôle dans l'histoire d'Israël, comme dans celle de presque toute nation. Mais dans l'Écriture, qui réfère à cette notion, l'implication de Dieu change considérablement le cap, ce qui lui donne, à notre avis, une signification majeure. Au cours de l'élaboration de l'AT, la guerre, originairement une activité humaine sans participation active de Dieu, devient l'action salvatrice de Dieu sans participation active des hommes. Le message est simple : Dieu lutte pour les personnes en détresse, afin qu'elles puissent s'occuper de choses plus importantes, telle la liturgie. De plus en plus, les textes guerriers sont devenus des prédications, adressées aux auditeurs d'autrefois en détresse et aux lecteurs modernes, de la libération divine de tout ce qui les menace. Petit et vulnérable comme le peuple de Dieu l'était, Dieu intervenait pour lui par des « pouvoirs spéciaux » qui s'expriment dans un langage spécifique : « Dieu sauve », « Dieu te met quelqu'un dans tes mains », « Dieu se bat pour le peuple » et « ne crains pas ».

Ces termes réfèrent aux actes libérateurs de Dieu à l'égard de son peuple ou d'un individu. Il œuvre de manière précise : par la nature, le vent, le tonnerre, un mouvement, ou un son. Tout peut contribuer à la confusion des ennemis et aboutir à la libération du peuple. Même un être humain peut être impliqué par Dieu pour le salut d'Israël ; le prophète Deutéro-Esaïe considère Cyrus, roi des Perses, comme l'outil et le recours (le « berger » en Es 44, 28) de Dieu en faveur de son peuple déporté à Babylone.

D'où viennent ces pensées concernant la guerre et l'implication de Dieu d'Israël ? Dans les textes les plus anciens, on lit qu'on a considéré la guerre comme quelque chose d'extraordinaire. On s'y préparait en se sanctifiant, se mettant donc hors de la société ordinaire ; on s'abstenait de rapports sexuels et se concentrait sur la défense du groupe, de la tribu ou du peuple. Probablement de quelques siècles plus tard date le developpement de l'idée que la divinité faisait partie de la guerre. La guerre n'était pas une simple confrontation militaire entre groupes ou nations, mais elle était aussi un affrontement entre deux cultures, dont la foi faisait partie. La guerre était une opposition entre villes, tribus, nations et croyances. Le groupe qui avait été vaincu devait supporter la domination du vainqueur en acceptant ses lois et ses croyances et devait s'incliner devant sa divinité. Il nous semble que ces idées ont été trouvées dans les pays entourant Israël et ont influencé la foi israélite. Surtout pendant le séjour du peuple à Babylone, quand l'influence des conceptions religieuses de la ville étaient les plus fortes. Néanmoins les théologiens israélites les ont élaborées à leur manière. Car, dans le cas d'Israël, en exil à Babylone, nous voyons que cette idée de l'implication de Dieu dans les guerres de son peuple a pris place dans la prédication des prophètes et des textes historiques, adaptés de telle sorte qu'ils soient vus comme inspirés durant les périodes de grande détresse. Le peuple vaincu est resté lui-même, et s'est alors développée une théologie qui renforçait sa foi en Dieu et l'a aidé à résister à la perte de son identité religieuse.

VERS UNE THÉOLOGIE DE LA LIBERTÉ

Dans ce livre nous n'avons pas nié l'existence de la violence, des guerres ou de l'inimitié dans la Bible ; nous avons en revanche présenté une autre approche, proposé une autre compréhension des textes. Néanmoins demeure un problème morale. Parfois ce problème mène les gens à penser et dire qu'il faudrait abolir toute religion car on y trouve l'origine de la violence dans notre monde. Les crimes commis au nom d'un dieu sont bien trop nombreux ; la religion semble légitimer un comportement néfaste. Il nous semble tout de même que le lecteur de la Bible ne peut pas facilement en tirer des conclusions violentes. Surtout si on lit les textes bibliques, comme nous l'avons fait dans ce livre.

En outre, il y a des exégètes et des théologiens qui incitent à lire la Bible d'une façon éthique, c'est-à-dire que le lecteur prend sa propre responsabilité en lisant et en choisissant quels textes et quelles pensées sont pour lui éthiquement corrects et sains. En fait, le lecteur, prenant comme base son éthique constitué des données bibliques (dans ce cas surtout des paroles de Jésus dans le NT), fait son choix entre les textes violents de l'AT et ne les prend plus en considération (il les rejette en quelque sorte). Ceci n'est pas sans risque, car, que reste-t-il de l'unité de la Bible comme parole divine ? On se risque alors à la critique que le lecteur fasse ainsi preuve d'une sorte d'éclecticisme, pour renforcer ses idées personnelles et préconçues. Ceci n'est pas unique, car il faut se rendre compte que la dogmatique a toujours fait une sélection parmi les textes et les idées théologiques, et que la foi de l'Église a connu des normes. La Bible est en fait plus large en idées et en images de Dieu, que nous pouvons le concevoir.

C'est pourquoi nous voulons lire la Bible d'une façon prudente et réfléchie. En nous rendons compte des risques, nous osons faire un choix en conscience et avec une passion intense à découvrir la justice, la non-violence et la paix. Car nous avons lu et découvert dans les pages précédentes de ce livre les intentions de Dieu pour la terre et l'humanité, et la façon dont les auteurs de la Bible les ont transmises.

Le grand thème des textes concernant la guerre et la violence est la libération du peuple et le but de toutes les interventions divines est la liberté du peuple. Quand Jésus parle d'une autre attitude envers les autres hommes, celle de l'amour, il implique la liberté de l'homme à agir. Le plus important est qu'il n'y a pas de contrainte à mettre l'autre à distance, ou de nécessité de représailles, quand quelque chose ne va pas. Non, c'est la liberté de fêter – un sens important de la liturgie – la vie donnée par Dieu, et d'ouvrir de nouveaux rapports entre les hommes, par exemple par le pardon. L'agression, la violence, et la mise à l'écart devront faire place au pardon, à la réconciliation, et finalement à l'amour.

La Bible nous raconte que cette liberté est offerte à tout homme, comme elle est donnée au peuple de Dieu de l'AT et la communauté des croyants en Jésus dans le NT. Car ce qui compte toujours est la promesse faite à Abraham : « en toi seront bénies toutes familles de la terre » (Gn 12, 3b). La libération de toute contrainte et oppression, physique ou spirituelle, est donc offerte à chaque homme. L'humanité entière peut vivre, croire et aimer dans cette liberté ; la seule tâche qui incombe à l'homme est de faire la paix, et donc d'en finir avec la violence, la haine, la jalousie, la guerre, et la destruction d'autrui. Les hommes ne sont plus des étrangers ou des ennemis l'un pour l'autre, mais des frères et sœurs, des amis, des compatriotes du royaume de Dieu.

La théologie de la liberté offre aux hommes des textes sélectionnés permettant de réfléchir à la volonté de Dieu ; et il leur appartient de déterminer quel chemin mène à ce monde non violent et pacifique, où le bien-être pour tout le monde est finalement réalisé et où l'homme a le temps de fêter l'instruction et la présence de son Maître. Cette théologie de la liberté offre une image de l'Autre/l'autre qui peut devenir le Prochain/prochain, présent chaque jour de la vie.

La théologie de la liberté montre la terre promise, où tout le monde trouve un endroit pour habiter, où il n'y a aucune interdiction de s'installer. Chacun y vit ensemble et se nourrit de ce que cette terre produit. Elle donne une image de Dieu et la liberté de croire en Lui, qui aide à créer la paix. Une foi qui n'existe pas en prescriptions mais en incitations d'être créatif, original, et agile d'esprit pour le bien de toute la création. Elle éclaire le sens du mot « amour » qui est en soi libérateur, créatif et vif. Aimer implique chaque fois, de nouveau en toute liberté, de découvrir l'Autre/l'autre et se laisser découvrir par Lui/lui. La théologie de la liberté n'est pas chose facile ou vite formulée et réalisée ; elle demande un changement profond de notre façon de penser la création, de vivre le caractère humain et de formuler un avenir collectif. Elle implique un effort intense de lire la Bible différemment, de l'expliquer et l'appliquer plus radicalement au plus proche de notre vie quotidienne. La Bible nous offre la libération par Dieu de tout mal et nous demande de faire la paix, au sens le plus large.

5

Pour que la paix advienne

Cette théologie de la liberté diffère assez de l'idée moderne de la paix et notre conception actuelle de Dieu comme source d'inspiration pour la paix et la non-violence. Or, nous connaissons à notre époque des forces militaires internationales de maintien de la paix, que nous considérons comme légitimes contre toutes sortes de groupes, rapidement désignés comme terroristes, ainsi Daech/IS, Boko haram, Al-Qaïda, etc. Selon l'opinion publique, ces groupes ne peuvent être approchés que par la force militaire, nos instruments humains et pacifiques ne suffisant pas pour arriver à une pacification avec eux.

Il est évident qu'une des données les plus importantes pour parvenir à une paix véritable dans notre monde est la rencontre et l'échange verbal entre deux ou plusieurs personnes, partis, groupes ou pays. Le problème est que certains groupes ne sont pas vraiment intéressés par ce genre de contact, autrement que pour étayer leur point de vue et les voir admis par les autres. Tandis que la paix n'est possible que lorsque les partenaires sont disposés à écouter l'autre et considérer son point de vue comme significatif, précieux et respectable. Toutefois, il apparaît trop souvent que cette dernière attitude, qui demande de l'autocritique et la possibilité de relativiser sa propre position, n'est pas très répandue parmi des groupes contestataires de toute nature.

Un motif essentiel pour une attitude pacifique est celui de la non-violence envers ceux qui se montrent violents. Jésus est le parfait exemple d'un comportement non violent ; il n'a pas résisté physiquement lorsque les Juifs et les Romains lui infligeaient de telles violences qu'il en mourait. Depuis son exemple, les pensées sur la résistance morale non violente ne se sont développées et réalisées que dans des situations particulières. D'abord au sein de petits groupes de chrétiens au début de notre ère, qui s'abstenaient de l'utilisation d'armes contre ceux qui les poursuivaient, ensuite dans différentes traditions monastiques. À l'époque de la Réforme, on a vu quelques exemples d'Églises strictement non violentes : par exemple, les Mennonites après la défaite des Anabaptistes à Münster (Allemagne) en 1535 ; ils refusèrent l'usage des armes, et donc le service militaire. Et surtout la Société des Amis (les Quakers) témoignent de leur conviction à ne pas employer de violence ; nombre d'entre eux sont objecteurs de conscience, activement engagés pour la non-violence, même si ceci implique d'aller en prison ou refuser de payer la partie des impôts qui finance l'armée.

L'organisation des Quakers est à l'origine des Conférences des Églises pacifistes (Conference of Pacifist Churches), dont la première eut lieu en 1922 aux États-Unis, à laquelle participaient entre autres les mennonites, avec qui ils ont continué à se rassembler. En 1935, ils ont pris le nom de Historic Peace Churches (Églises pacifiques historiques) pour distinguer le pacifisme chrétien biblique du pacifisme politique. Après la Seconde Guerre mondiale, un département européen est institué, qui devient en 1968 le Centre d'études et de liaison Eirene puis, en 1976, Église et Paix (Church and Peace), le réseau œcuménique européen des Églises pacifistes.

C'est donc tardivement que l'idée de la non-violence comme attitude chrétienne et non chrétienne s'est développée, influencée en particulier par Mahatma Gandhi aux Indes et plus tard par le révérend Martin Luther King aux États-Unis. Bien qu'un large public ait accès à leurs idées, peu de gens sont vraiment convaincus que cela puisse fonctionner. Le premier argument est l'annihilation du nazisme en Allemagne par les Alliés en 39-45. Sans le recours à la force militaire et la violence, jusqu'à l'utilisation des bombes nucléaires, Hitler et les siens, l'empereur japonais et ses généraux n'auraient jamais été chassés. Par conséquent le groupe prêt à suivre cette idée de non-violence dans les Églises et dans les sociétés laïques est très minoritaire. Il est d'autant plus difficile à réaliser, que certains groupes sont tellement convaincus de la justesse de leur point de vue, qu'ils le mettent au-dessus du respect de la vie d'autrui. Comme ils sont souvent en possession d'armes, ils sont à l'initiative de la violence. Or, il semble presque impossible de réaliser une situation de non-violence, car aucun homme ou femme responsable n'est prêt à sacrifier des milliers de vies, avant que les pourparlers puissent être ouverts et les armes déposées. La question fondamentale est comment convaincre les êtres humains de s'abstenir d'avoir recours à la violence et aux armes. L'exemple de Jésus, mort sur la croix, en montre la difficulté.

Une partie de l'éthique de la non-violence est basée sur l'espoir que les gens se font de changer l'attitude agressive par l'abandon et la volonté de discuter avec les non-violents. On peut par conséquent se demander si l'on ne prend pas suffisamment au sérieux le mal qui se trouve profondément enfoui dans l'humanité. Ce n'est pas pour rien que la Bible commence par des récits qui montrent la méchanceté de l'homme, qui était malgré tout une créature bonne : la première violation de la parole divine, le premier mensonge, le premier meurtre, le désir de quelque chose de tabou, etc.

On pourrait concevoir que l'éthique de la non-violence, comme la plupart de l'éthique biblique, trouve sa source dans le petit biotope de la société humaine, tel qu'il s'est produit dans l'Orient ancien : le petit nombre d'habitants des pays, des villes et des villages, la collectivité – la pensée que l'individu fait toujours partie d'un ensemble plus grand –, qui lie les différents groupes et les façons de penser. Tandis qu'en même temps la cruauté au niveau personnel (les punitions et les convictions) était grande et répandue. À notre époque l'individualisation est à l'ordre, l'homme est devenu un univers en soi, avec des possibilités infinies de communication et, dit-on, une grande indépendance de pensée et d'action. La collectivité s'est perdue et la volonté de se donner ou se sacrifier pour une cause bonne pour la société existe de moins en moins. La non-violence demande une telle aptitude. Donc pour la réaliser, un profond changement de l'attitude humaine est impératif. La nouvelle Jérusalem est encore loin…

Épilogue

Lorsque le président de la République française, en février 2015, s'est montré favorable au renforcement de l'arsenal nucléaire de la France, c'est-à-dire à l'arme dissuasive (mais ceci implique nécessairement qu'on est prêt à s'en servir, sinon l'ennemi ne le prend pas au sérieux), les Églises se sont tues. Faire la guerre, avec une arme nucléaire, la destruction totale de la terre, des êtres vivants, et les actes militaires violents ne sont pas à leur ordre du jour. Elles s'occupaient d'une possible bénédiction du mariage pour tous (chez les protestants), ou continuaient à s'opposer à cette loi (les catholiques), en se servant d'un futur candidat aux élections présidentielles de 2017.

Les Églises modernes ont toujours été ambigües sur le sujet de l'utilisation de la violence à grande échelle ou à l'égard des guerres. La théologie ecclésiastique suggère que les guerres pourraient être justes et que Dieu a donné le droit d'autodéfense à tout prix. Beaucoup plus qu'une réponse de Normand, elle n'ose pas se prononcer. Bien que, comme nous avons pu voir dans ce livre, la Bible, sans nier la violence physique et psychologique humaine, prenne une position claire pour la paix, pour la fraternité, et pour l'amour.

Remerciements

Je veux remercier cordialement :

Catherine Radet et Yves Troyon, nos bons voisins, car le présent livre n'aurait jamais été finalisé en français sans leur contrôle de l'écriture.

Ilse, mon épouse, pour sa patience pendant tout ce temps où je me trouvais au bureau à écrire.

Notes

Introduction

1. L'auteur utilise ici ce terme pour le mouvement réactionnaire apparu au début du XXe siècle aux États-Unis, qui avait pris position contre la science moderne : la cosmologie, les sciences et les études bibliques. Les fondamentalistes, qui, à ce jour, peuvent être trouvés n'importe où dans le monde [parmi d'autres religions que le christianisme, on peut aussi facilement déterminer des tendances fondamentalistes], sanctifient certains aspects de la société du vieux Moyen-Orient, présentés dans la Bible. Ils les voient comme l'intention universelle de Dieu.

Des mots bibliques

1. Anton VAN DER LINGEN, *David en Saul in I Samuël 16 – II Samuël 5. Verhalen in politiek en religie. [David et Saul en 1 Samuel 16 – 2 Samuel 5. Récits en politique et religion],* Den Haag/La Haye, 1983 et Anton VAN DER LINGEN, *Les Guerres de Yahvé*, Paris, Éd. du Cerf, Lectio Divina 139, 1990.

L'autre

1. Cet Excursus trouve ses origines dans l'article de Laurent COLONNA D'ISTRIA et Philippe LOUIS, « L'étranger au pays de Sumer à l'époque de la troisième dynastie d'Ur », dans Jean RIAUD (ed.), *L'étranger dans la Bible et ses lectures,* Paris, Éd. du Cerf, Lectio Divina, 2007, p. 17-52.

2. Ainsi A. Wénin, « Israël, étranger et migrant : Réflexions à propos de l'immigré dans la Bible », dans *Mélanges de Science Religieuse*, 52, 1995, pp. 281-299, p. 290.

Lire les textes : exégèse et interprétation

1. Texte du Psaume 74, 13-17*.

2. En Hébreu on écrit le mot « Au » [commencement] avec une seule consonne, le beth : ב, et on lit les textes de droit à gauche.

3. Pendant l'écriture de ce chapitre l'auteur a assisté au « faux » procès du Loup au Tribunal de Florac dans les Cévennes le 12 septembre 2015. Le témoin de la défense (du loup) parlait de l'image du loup parmi les hommes. Il a malheureusement omis de mentionner ces textes anciens et bibliques, qui donnent une réelle impression des idées sur le loup depuis la nuit des temps, et qui ont influencé les chrétiens jusqu'à nos jours. Et il faut surtout se demander pourquoi cette image du loup est (devenue) si négative.

4. Malheureusement cette situation n'est pas imaginaire. L'auteur pendant sa vie professionnelle a rencontré des parents et des membres du clergé qui avaient cette conviction.

Table des matières

Deuxième partie
UNE RELECTURE DES RÉCITS

Troisième partie
UNE THÉOLOGIE DE LA LIBERTÉ

Composition et mise en pages
Nord Compo à Villeneuve-d'Ascq

Achevé d'imprimer par Corlet, Imprimeur, S.A. - 14110 Condé-sur-Noireau
N° d'Imprimeur : 181354 - Dépôt légal : mai 2016 - *Imprime en France*